Premiers p@s sur INTERNET

Pour les jeunes internautes...
et leurs parents !

Attention ! Embarquement immédiat !

Installe-toi confortablement, prépare quelques provisions (un grand verre de jus d'orange et quelques gâteaux), tu pars faire un grand voyage sur Internet. Voici le plan de la traversée :

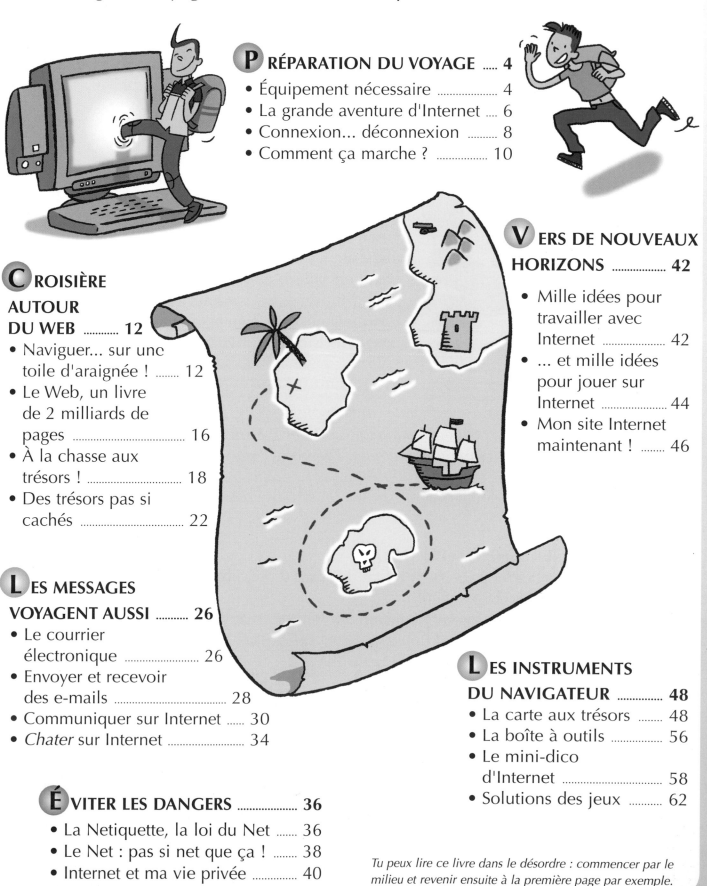

Tu peux lire ce livre dans le désordre : commencer par le milieu et revenir ensuite à la première page par exemple.

Équipement nécessaire

Naviguer sur Internet demande un minimum de matériel. Pas de panique si tu n'as pas tout, nous te donnerons quelques petites astuces...

Un ORDINATEUR

Si tu as un **ordinateur**, tant mieux ! C'est l'outil le plus pratique pour surfer sur Internet.

Faut-il un ordinateur récent ? Non ! Si tu es plus âgé que ton ordinateur, il y a de grandes chances pour que tu puisses l'utiliser pour surfer sur Internet.

Peut-on utiliser autre chose qu'un ordinateur ? Oui ! Il existe des **consoles de jeux** qui permettent de se connecter à Internet, ou encore des **télévisions.**

Que faire si tu n'as ni ordinateur, ni console de jeux, ni télévision ? Tout n'est pas perdu, parce que l'on peut maintenant utiliser Internet dans de nombreux endroits, souvent même gratuitement. Exemples : dans ton école, dans une bibliothèque, dans un cybercafé*, chez des copains...

Une LIGNE TÉLÉPHONIQUE

Pour accéder à Internet, il faut disposer d'une **ligne de téléphone**. Mais il y a des exceptions :

• si tu utilises Internet dans un lieu public, d'autres moyens de communication sont utilisés : ligne* spécialisée, câble*, satellite, liaison radio (voir page 11)

• dans certains endroits, tu peux avoir Internet par le câble. Dans ce cas-là, tu as de la chance car la liaison à Internet est beaucoup plus rapide !

UN MODEM

Entre l'ordinateur et la prise téléphonique, un autre outil indispensable : le **modem***. Le modem peut être comparé à un téléphone. Quand tu téléphones, ton appareil envoie tes paroles sur la ligne téléphonique et diffuse ce que dit ton correspondant.

Le modem fait la même chose : il **envoie et reçoit les messages** que les ordinateurs s'envoient.

Si tu ne trouves pas de modem, peut-être utilises-tu une console ou une télévision ?
Dans ce cas-là, le modem est intégré et ne se voit pas. Mais c'est aussi le cas pour de nombreux ordinateurs...

 Un modem très compétent !

Le modem est un puissant outil de communication.
Six utilisations possibles de tous les modems actuels sont cachées dans ce tableau de lettres.

Cherche-les bien : les mots sont dans tous les sens !

S	Z	C	D	G	J	K	M	Z	O	D	I
E	E	K	E	N	O	H	P	E	L	E	T
U	X	R	E	A	V	D	E	U	Z	T	E
Q	R	U	B	C	N	V	E	R	Z	R	J
I	J	E	A	I	N	T	E	R	N	E	T
T	V	U	P	E	L	S	W	X	L	Y	U
A	L	M	I	O	A	-	I	R	V	E	M
M	Y	S	H	Q	N	N	S	H	U	M	B
E	G	L	N	L	X	D	B	N	A	L	E
L	X	F	E	X	B	I	E	V	I	R	S
E	A	D	A	R	Z	C	I	U	O	A	R
T	G	F	I	B	R	I	X	O	R	O	M

UN FOURNISEUR D'ACCÈS À INTERNET

Si tu veux utiliser Internet chez toi, il te faut un abonnement à un **fournisseur*** **d'accès à Internet**. Un fournisseur d'accès est une entreprise qui te permettra d'**accéder à Internet**.

Pour que tu puisses utiliser Internet, ton fournisseur d'accès te donne un nom* d'utilisateur, un mot* de passe et une adresse* e-mail.

 Si tu utilises Internet de chez toi, note ici...

• le nom de ton fournisseur d'accès : ....

• ton adresse e-mail : ....@..

Un mot de passe, c'est comme une clé : ça ne se donne pas ⎯ ☐ ✕

❌ **Ne donne jamais ton mot de passe !**
Personne n'est censé te demander ton mot de passe, même pas ton fournisseur d'accès. Si quelqu'un le fait, il a probablement de mauvaises intentions...

La grande aventure d'Internet

À peine 40 ans et déjà si célèbre ! Plonge quelques minutes dans l'incroyable histoire d'Internet.

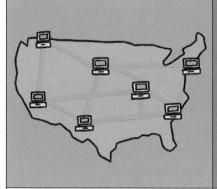

1959 - Les relations entre les États-Unis et la Russie sont orageuses. On craint une autre guerre mondiale.

Les États-Unis craignent qu'une seule bombe détruise toutes leurs informations militaires.

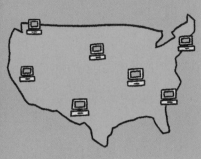

Ils ont alors l'idée de stocker ces informations sur des ordinateurs répartis dans tout le pays.

Ces ordinateurs sont reliés par des lignes téléphoniques. Ainsi, une seule bombe ne peut pas tout détruire.

1964 - Une invention géniale : la souris. Elle rend l'utilisation de l'ordinateur beaucoup plus simple.

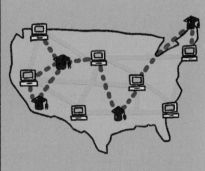

1969 - Des ordinateurs d'universités sont reliés à ceux de l'armée. Ce réseau (Arpanet*) est l'ancêtre d'Internet.

1972 - Ray Tomlinson envoie le premier courrier* électronique. Le message envoyé : "1-2-3 essai" !

1983 - Naissance d'Internet. Les militaires s'en détachent et utilisent un réseau séparé.

1986 - Le premier virus* informatique est créé par deux frères pakistanais...

1988 - Invention d'IRC*, le premier grand système pour dialoguer en direct sur Internet.

1990 - Une université canadienne conçoit le premier moteur* de recherche : Archie.

En 1990, pour la première fois, une entreprise vend des accès à Internet. C'est le premier fournisseur* d'accès.

1991 - Tim Berners-Lee invente le Web*. Avec la création du premier navigateur*, deux ans plus tard, cette invention permettra au grand public d'utiliser facilement Internet, jusque-là réservé aux informaticiens.

1994 - Les entreprises commencent à utiliser Internet pour faire du commerce.

1995 - Pour la première fois, une radio commerciale émet 24 h sur 24 et exclusivement sur Internet.

C'est aussi le début de l'essor des technologies permettant de diffuser de la vidéo sur Internet.

1998 - Première fête de l'Internet, une fête internationale pour faire découvrir Internet à tout le monde.

1999 - Le MP3* (un format* d'échange de musique) fait fureur !

Fin 1999, le monde tremble devant le "bug* de l'an 2000". Mais finalement, aucun désastre n'aura lieu !

2001 - Plusieurs pays d'Europe concluent le premier traité pour lutter contre le cybercrime*.

Connexion... déconnexion

Tu as tout le matériel nécessaire ?
Nous allons maintenant te guider pour te connecter à Internet.

À QUOI ÇA SERT ?

Dans la plupart des cas, ton ordinateur n'est pas tout le temps **connecté à Internet** car tu payes suivant la durée de la connexion.

Es-tu connecté en permanence à Internet ?
Oui si tu utilises Internet dans un lieu public (bibliothèque, école...) ou si tu as le câble* (il suffit d'allumer le modem*).
Si tu es dans une de ces situations, tu peux sauter ces 2 pages !

Si ton ordinateur n'est pas branché en permanence à Internet, il faut donc le faire lorsque tu veux utiliser Internet. C'est exactement comme quand tu téléphones à un copain : tu composes un numéro et une connexion s'établit avec le téléphone de ton copain. Ici, la **connexion** s'établira entre 2 ordinateurs.

? **Comment se déroule une connexion ? Remets dans le bon ordre !**

❶ Ton fournisseur* d'accès te demande ton login* et ton mot* de passe

❷ Ton fournisseur t'accepte sur le réseau et attribue une adresse à ton ordinateur

❸ Ton modem décroche la ligne et compose le numéro de ton fournisseur d'accès

❹ Ton fournisseur d'accès vérifie ton login et ton mot de passe

❺ Ton ordinateur envoie ton login et ton mot de passe

❻ Le modem de ton fournisseur d'accès répond et commence à communiquer

❼ Bravo ! Tu es connecté : tu peux commencer à surfer

Quel est le bon ordre ?   ....

Ton ordinateur est-il prêt pour Internet ?

⚠ Nous supposons que ton ordinateur est déjà prêt pour accéder à Internet. Cela veut dire que les logiciels nécessaires sont installés et configurés.
Si ce n'est pas le cas, utilise le kit de connexion donné par ton fournisseur* d'accès : il s'agit d'un CD qu'il suffit d'insérer dans le lecteur. Normalement, le kit s'installe presque tout seul. Mais n'hésite pas à demander conseil à un adulte !

SE CONNECTER

Suis ce petit guide pour te connecter facilement à Internet...

1 Ton ordinateur est-il un Macintosh ou un PC ?
  ❑ Si tu as un Mac... va en 2
  ❑ Si tu as un PC... va en 3

Mac ou PC ? Si tu trouves une petite pomme dessinée sur ton ordinateur ou ton clavier, tu as un Mac. Sinon, tu as un PC.

2 Ton ordinateur est un Macintosh :
  - clique* sur le menu *Pomme*
  - cherche *Tableau de bord*
  - clique sur *Remote Access* et va en 4.

3 Ton ordinateur est un PC, tu dois trouver une icône comme celle-ci :
  - clique* dans le menu *Démarrer* sur *Paramètres,* puis *Connexion réseau et accès à distance.*
  - si tu ne trouves pas, clique deux fois sur l'icône *Poste de travail* (sur le bureau), puis sur l'icône *Accès réseau à distance.*
  - double-clique* sur l'icône *Accès Internet* (elle peut porter le nom de ton fournisseur* d'accès) et va en 4.

Accès Internet

Poste de travail

4 Une boîte de dialogue ressemblant à celles qui figurent ci-dessous doit s'afficher :

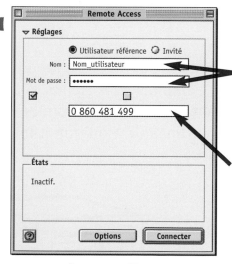

Nom d'utilisateur et mot de passe donné par ton fournisseur d'accès

Numéro de téléphone que doit composer ton modem

Allume ton modem et clique sur *Connecter* ou *Composer* : tu entends ton modem décrocher la ligne, composer le numéro, puis il y a un bruit bizarre (ton modem et le modem de ton fournisseur d'accès commencent à communiquer) et, enfin, la connexion est établie. Bravo !

5 Pour te **déconnecter**, clique sur le bouton *Déconnecter* dans la fenêtre de connexion. Si elle est cachée, refais les mêmes opérations à partir du point 1 pour réafficher la fenêtre, mais au point 4 clique sur *Déconnecter*.

 N'oublie pas de te déconnecter : tu payes le temps passé sur le Net !

Comment ça marche ?

Des milliards de kilomètres de câbles, des millions d'ordinateurs, des dizaines de milliers de gros ordinateurs, des centaines de satellites... Découvre ce qui se cache derrière Internet.

300 MILLIONS D'ORDINATEURS

Imagine 300 millions d'ordinateurs, situés dans tous les pays du monde. Imagine des milliards de kilomètres de câbles reliant ces ordinateurs : certains câbles traversent les océans, d'autres longent les autoroutes, d'autres encore passent sous les trottoirs de ton quartier...

Tous ces ordinateurs connectés entre eux forment ce que l'on appelle un réseau*. Et ce **gigantesque réseau** mondial, c'est **Internet**.

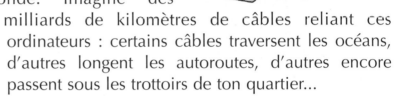

Tu remarqueras qu'Internet ne tombe jamais en panne. Pourtant, tous les ordinateurs ne sont pas connectés entre eux en permanence : certains sont éteints, d'autres ne marchent pas, parfois ce sont les câbles qui sont coupés. Mais comme il existe beaucoup de chemins différents pour aller d'un ordinateur à un autre, Internet ne tombe jamais en panne et fonctionne tout le temps.

DE GROS ORDINATEURS UN PEU SPÉCIAUX

Certains ordinateurs très puissants jouent un rôle important sur Internet : on appelle ces ordinateurs des **serveurs*** parce qu'ils rendent des "**services**" qui permettent à Internet de fonctionner. Par exemple, le serveur Web est l'ordinateur qui stocke les sites Web (voir page 16).

N'importe qui peut ajouter un serveur sur Internet, mais cela coûte cher car un serveur doit être tout le temps connecté à Internet (ou bien les services qu'il rendra ne seront pas disponibles tout le temps).

INTERNET EN IMAGES

Quelques villes mettent en place des connexions à Internet par voie hertzienne (même fonctionnement que la radio). Cela s'appelle la boucle locale radio.

Les satellites permettent des connexions très rapides entre des endroits très éloignés.

Les grandes entreprises sont connectées en permanence à Internet en utilisant des lignes* téléphoniques dédiées (qui ne servent qu'à cela).

Les serveurs* sont tout le temps connectés entre eux, par des liaisons où beaucoup d'informations peuvent circuler à la fois comme les liaisons satellites ou les fibres* optiques.

Grâce aux satellites, les téléphones portables peuvent accéder à Internet.

Si tu as un modem* pour accéder à Internet, ton modem utilise la ligne téléphonique pour se connecter au serveur de ton fournisseur* d'accès.

L'ADSL* est une nouvelle technologie permettant d'être connecté en permanence à Internet en utilisant une ligne téléphonique normale.

Dans certaines villes, il est possible de passer par le câble* utilisé pour la télévision : la liaison Internet est alors permanente.

: serveur

Différents moyens de connexion à Internet :

- liaison satellite
- fibre optique
- boucle locale radio
- ligne téléphonique ADSL
- câble
- ligne dédiée
- ligne téléphonique normale

Du plus rapide au plus lent

Naviguer... sur une toile d'araignée !

La partie la plus fabuleuse d'Internet est le Web* : ce sont des millions de pages électroniques sur tous les sujets imaginables. Nous découvrirons le Web page 16. En attendant, il faut que tu saches utiliser un navigateur* : c'est le logiciel indispensable pour surfer sur le Web !

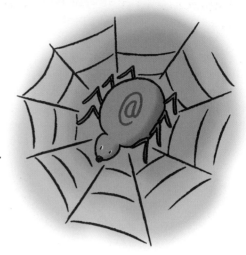

À LA RECHERCHE D'UN NAVIGATEUR

Un **navigateur** est un logiciel qui te permet de **voir les pages** que tu consultes sur le Web. Il y en a sûrement un sur ton ordinateur, mais il va falloir que tu le trouves. Voici quelques indices...

Il existe plusieurs navigateurs, mais les deux plus répandus sont : **Internet Explorer** et **Netscape**. Que tu aies l'un ou l'autre n'a pas d'importance : ils font tous les deux les mêmes choses et sont très ressemblants.

Tu trouveras probablement l'icône de Netscape ou d'Internet Explorer sur ton bureau ou dans les barres de menu.

Icône de Netscape

Icône d'Internet Explorer

Des assistants pour les navigateurs

 Le navigateur ne sait pas tout faire. Lorsqu'il rencontre des documents qu'il ne sait pas lire comme les fichiers musicaux ou les animations, il fait appel à des petits logiciels spécialisés : les ***plug-ins****.
Ces petits logiciels se téléchargent* automatiquement s'ils ne sont pas déjà installés (après ton accord !).

L E NAVIGATEUR EN IMAGES

Dès que tu as trouvé l'icône d'un navigateur, clique* deux fois dessus pour lancer le logiciel (si tu n'as pas trouvé d'icône, cherche un menu appelé *Accès Internet - Navigation Internet*).

Nous avons représenté ci-dessous le navigateur *Internet Explorer,* affichant le site du WWF (tu peux l'afficher aussi en tapant son adresse). Ton navigateur est peut-être différent de celui représenté ici : ce n'est pas grave, tu vas retrouver à peu près les mêmes choses.

Boutons *Précédente* et *Suivante*
Avec ces boutons, tu peux revenir facilement aux pages visitées juste avant.

Bouton *Arrêter*
Pour arrêter d'ouvrir la page en cours.

Bouton *Actualiser*
Pour recharger la page en cours, si elle s'est mal affichée, par exemple.

Bouton *Historique*
Clique sur ce bouton pour revoir les pages que tu as consultées les jours précédents.

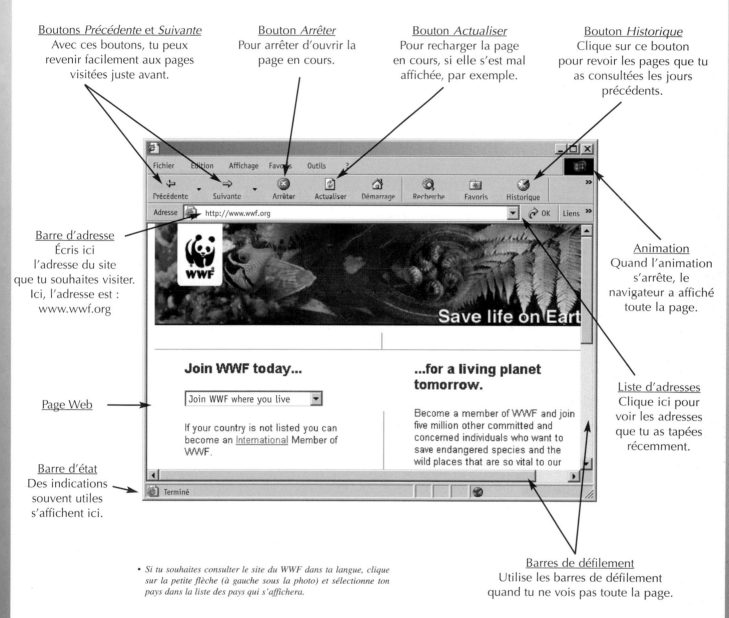

Barre d'adresse
Écris ici l'adresse du site que tu souhaites visiter. Ici, l'adresse est : www.wwf.org

Animation
Quand l'animation s'arrête, le navigateur a affiché toute la page.

Page Web

Liste d'adresses
Clique ici pour voir les adresses que tu as tapées récemment.

Barre d'état
Des indications souvent utiles s'affichent ici.

Barres de défilement
Utilise les barres de défilement quand tu ne vois pas toute la page.

• *Si tu souhaites consulter le site du WWF dans ta langue, clique sur la petite flèche (à gauche sous la photo) et sélectionne ton pays dans la liste des pays qui s'affichera.*

 Le caractère "/" utilisé dans les adresses s'appelle le *slash** ou *barre oblique*. Il sert à séparer les différentes parties de l'adresse.

☺ Astuce ! Lorsque tu tapes une adresse, tu n'es pas obligé de taper "http://".

☺ Astuce ! Pour taper *www.yahoo.com*, tape *yahoo* et appuie sur les touches Ctrl+Entrée (avec Internet Explorer) ou seulement Entrée (avec Netscape). Fonctionne avec tous les sites commençant par *"www"* et terminant par *".com"*.

? Pour aller sur un site, tu dois connaître son adresse. Si tu as oublié l'adresse d'un site, tu peux utiliser un outil de recherche pour la trouver (voir page 18).

L ES MARQUE-PAGES DU WEB

Tous les navigateurs proposent un menu **"Favoris*"** permettant de conserver les adresses de tes **pages Web* favorites**. Suivant les navigateurs, ce menu peut aussi s'appeler *Signets** ou *Bookmarks**. Comment l'utiliser ?

• Quand tu es sur une page dont tu veux garder l'adresse, cherche dans ce menu l'option permettant d'enregistrer (c'est souvent l'option *Ajouter*) :

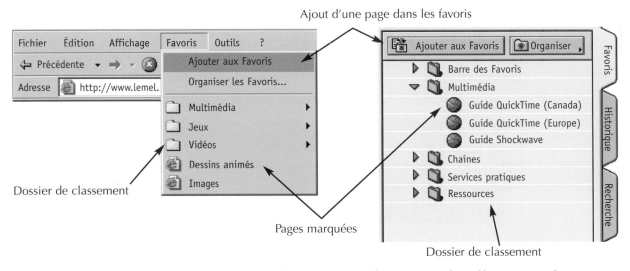

Ajout d'une page dans les favoris

Dossier de classement

Pages marquées

Dossier de classement

• Lorsque tu veux retourner à une de tes pages favorites, il suffit que tu la cherches dans le menu des favoris.

• Tu peux aussi **organiser** tes pages Web favorites en les classant dans différents dossiers. C'est une autre option du menu des favoris (option *Gérer, Éditer* ou *Organiser*, suivant les navigateurs).

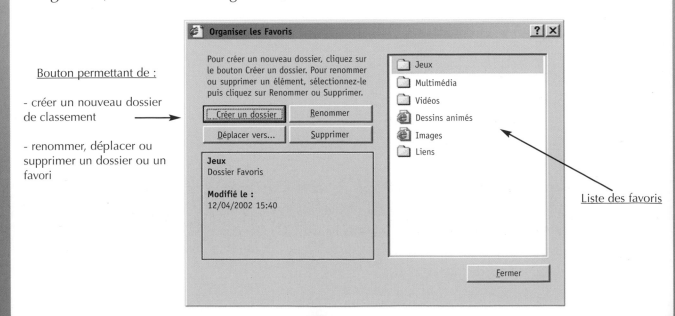

Bouton permettant de :

- créer un nouveau dossier de classement

- renommer, déplacer ou supprimer un dossier ou un favori

Liste des favoris

L'ASPIRATEUR... DE SITES WEB !

Utiliser les favoris* ne permet d'enregistrer que l'adresse d'un site Web* : si le site disparaît, tu ne pourras pas retrouver les pages.

Quand tu souhaites garder une ou plusieurs pages, tu dois les **enregistrer** :

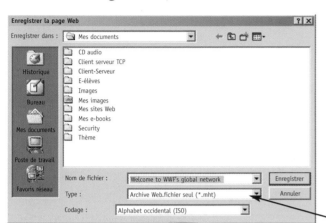

• tu peux enregistrer une page en utilisant le menu *Fichier-Enregistrer sous*. Mais le résultat est souvent décevant car certains éléments (images, liens...) ne sont pas enregistrés.

Avec Internet Explorer, tu peux obtenir de meilleurs résultats en choisissant quand tu enregistres le type ***Archive Web***.

• tu peux aussi enregistrer tout un site en utilisant un logiciel appelé ***aspirateur de sites***. Tu peux télécharger ces logiciels (voir la boîte à outils page 56) mais ils sont payants. Voici comment utiliser *Teleport Pro* et *GetWeb,* les aspirateurs mentionnés dans la boîte à outils :

Avec GetWeb :

- clique sur *Add* pour indiquer l'adresse d'un site à aspirer
- dans la fenêtre ci-dessous, tape dans la zone *URL* l'adresse du site à aspirer
- clique sur *OK* pour fermer la fenêtre
- clique sur *Fetch* pour lancer l'aspiration
- clique sur *View* pour voir le site aspiré

Avec Teleport Pro :
- choisis le menu *Project-New Starting Address*
- dans la fenêtre qui s'affiche, tape dans la zone URL l'adresse du site à aspirer
- clique sur *OK* pour fermer la fenêtre
- choisis le menu *Project-Start* pour lancer l'aspiration
- dans la fenêtre de gauche, clique avec le bouton droit de la souris sur le nom du projet et choisis *Ouvrir* pour voir le site aspiré

Problèmes d'aspiration ?

⚠️ - Ne t'étonne pas si certains sites sont mal aspirés. Cela arrive parfois et il n'y a aucune solution pour les aspirer convenablement.

- Teleport Pro et GetWeb sont des sharewares* : leurs fonctions sont limitées tant que tu n'as pas acheté le logiciel.

Le Web : un livre de 2 milliards de pages

Maintenant que tu sais utiliser un navigateur*, partons en expédition sur le Web*...

À QUOI RESSEMBLE LE WEB ?

Des pages colorées, des textes, des images, des photos, des sons : le Web désigne les **millions de pages** qui peuvent être consultées sur Internet.

Mais que trouve-t-on sur ces pages ? De tout ! Des scientifiques exposent leur travail, des stars montrent leurs photos, des inconnus parlent de leurs passions, des marchands vendent leurs produits, des enfants racontent des histoires...

Le Web est la partie la plus connue et la plus passionnante d'Internet. C'est un formidable **moyen de communication** où chacun peut s'exprimer. Toi aussi ! Nous t'apprendrons bientôt comment (page 46).

Drôle de jardin !   _ □ ✕

Cultiver un jardin sur Internet ? Quelle drôle d'idée ! C'est pourtant possible grace à un robot qui permet de planter, arroser, ou tout simplement regarder pousser... dans un vrai jardin !
N'hésite pas à faire pousser ta plante dans ce jardin international : c'est 100 % gratuit mais on ne peut planter qu'à certaines périodes. Le reste du temps, tu peux toujours regarder ce jardin pas comme les autres...
Le site est en anglais mais tu peux faire traduire (voir page 17) : **http://telegarden.aec.at**

OBSERVATION D'UNE PAGE* WEB

Envoie ton navigateur à cette adresse : http://www.altavista.com

• Quand tu tapes une adresse dans un navigateur, tu l'envoies sur un **site* Web**. Un site est un ensemble de pages Web.

• Là, tu surfes sur le site d'*Altavista* : c'est un site Web qui permet de rechercher des informations (nous verrons bientôt comment). Et tu es actuellement sur la **page d'accueil**.

Promène le curseur de ta souris sur la page : tu constateras que parfois le curseur prend la forme d'une main. Tu es sur un lien **hypertexte***. Les liens hypertextes permettent de sauter d'une page à une autre : il suffit de cliquer sur le lien. Essaye !

Web est l'abréviation de World Wide Web, ce qui signifie Toile d'araignée mondiale. Pourquoi ? Parce que la plupart des pages Web étant reliées par des liens hypertextes, le Web ressemblerait à une toile d'araignée si on le dessinait !

TOUS LES SITES ONT UNE ADRESSE*

Tu sais taper l'adresse d'un site dans ton navigateur. Regarde maintenant ce qui compose une adresse :

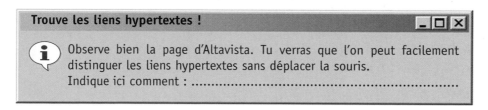

http://www.cite-espace.com/index.htm

Protocole à utiliser
Le protocole est la manière dont les ordinateurs se parlent.

Le plus souvent, le protocole est "http" mais ne t'étonne pas de trouver parfois "ftp".

Adresse du site
Indique au navigateur sur quel ordinateur il trouvera le site.

<u>Intéressant</u> : la fin de l'adresse indique le type de site ou son pays (ici, "com" indique un site commercial). Voir page 21.

Page à afficher
Précise la page qui doit être affichée (ici, la page dont le nom est "index.htm").

<u>Attention</u> : respecte bien les majuscules et minuscules.

 Sur Internet, mieux vaut aimer l'anglais car la plupart des sites sont en anglais. Mais tu peux aussi utiliser un logiciel de traduction de pages Web. Il en existe un gratuit en ligne sur <u>http://world.altavista.com</u>.

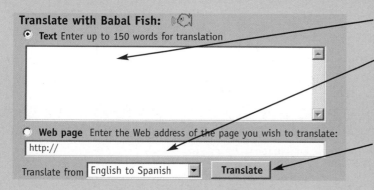

Translate with Babal Fish: 🐟
◉ **Text** Enter up to 150 words for translation

○ **Web page** Enter the Web address of the page you wish to translate:
http://
Translate from [English to Spanish ▾] [**Translate**]

Si tu veux juste traduire un ou plusieurs mots, tape-les ici.
Si tu veux traduire tout un site, tape son adresse ici.

Sélectionne la langue de départ et la langue d'arrivée puis clique sur *Translate*.

Note : tu trouveras une version française du traducteur représenté ci-dessus sur le site <u>http://www.altavista.com</u>.

À la chasse aux trésors !

Il y aurait plus de 36 millions de sites* Web sur Internet ! Comment trouver celui qui t'intéresse ?! Heureusement, il existe des outils de recherche très performants...

D ES OUTILS POUR CHERCHER

Pour chercher des sites Web, on peut utiliser deux outils :

✔ les **moteurs* de recherche**
✔ les **annuaires***

Ces outils se ressemblent, mais fonctionnent différemment.

Tous les deux sont gratuits et accessibles sur Internet. Par exemple, tape cette adresse dans ton navigateur : http://www.yahoo.com. C'est l'adresse d'un des plus célèbres annuaires de recherche : *Yahoo.*

⚠ Les moteurs et annuaires de recherche dont nous parlons dans ces deux pages sont disponibles dans de multiples langues. Si la page n'est pas en français :

• cherche sur la page d'accueil un lien vers ta langue
• ou essaye de remplacer ".com" par le suffixe de ton pays, par exemple ".fr" pour la France (voir page 21).

Comment chercher ?

1. Tape ici ce que tu veux chercher. ⟶ [   ] Rechercher

Écris par exemple *baleine* si tu veux chercher des informations sur les baleines.

2. Clique ensuite sur le bouton *Rechercher.*

3. Après quelques secondes, le moteur ou l'annuaire t'affiche le nombre de sites trouvés et la liste de ces sites. Il te suffit alors de cliquer sur les noms des sites pour trouver le site qui te convient le plus.

4. Quand il y a plusieurs pages de résultats, tu trouveras des liens* hypertextes pour changer de page (*Afficher les sites suivants* sur Yahoo).

D ES RÉSULTATS... SURPRENANTS !

Les résultats des recherches n'ont souvent aucun rapport avec ce que tu cherches. Pourquoi ? Parce que les outils de recherche trouvent tous les sites contenant les mots que tu cherches. Malheureusement, **les mots ont parfois plusieurs sens**. Par exemple, "chat" est un animal mais aussi le nom des salons* de discussion (voir page 34).

Tu dois donc apprendre à faire des recherches efficaces. Voici comment :

❶ Annuaire ou moteur ?

Ces deux outils fonctionnent différemment :

- le moteur de recherche est un **robot** qui **associe les pages à des mots**
→ utilise les moteurs pour trouver un **renseignement précis**

- dans un annuaire, ce sont des **personnes** qui **classent les sites par thèmes**
→ utilise les annuaires pour chercher des **infos sur un thème**

 Où chercher des infos sur les papillons ?
    ❑ sur le moteur de recherche www.google.com
    ❑ sur la page en français de l'annuaire www.yahoo.com

❷ Le choix des mots

- **Réfléchir** quelques minutes aux mots à chercher fait gagner beaucoup de temps.
- La meilleure **combinaison** : un mot général sur le thème et un mot très précis.

 Exemple ! Sur Yahoo, fais deux recherches :
- une fois en tapant *chat*
- une fois en tapant *animal chat*
Que constates-tu ? ....

❸ Lire les résultats... et relancer la recherche

Tu auras souvent beaucoup de résultats : la plupart du temps, les meilleurs sont en début de liste. Mieux vaut donc souvent **relancer une recherche** avec d'autres mots-clés plutôt que parcourir des centaines de pages de résultats...

Quand tu ne trouves pas ce que tu cherches :
- relance la recherche avec des mots-clés différents
- utilise la recherche avancée (voir page 20)
- change de moteur ou d'annuaire de recherche
- cherche aussi les sites en langue étrangère (anglais notamment).

Actualités et médias	**Institutions et politique**	
Sujets d'actualité, Télévision, Journaux	Ministères, Droit, Services publics	
Art et culture	**Références et annuaires**	
Littérature, Cinéma, Musique, Musées	Dictionnaires, Annuaires, Bibliothèques	
Commerce et économie	**Santé**	
B2B, Shopping, Emploi, Immobilier	Diététique, Médecine, Organismes	
Divertissement	**Sciences et technologies**	
À voir, Loteries, Humour, Sorties	Animaux, Astronomie, Physique	
Enseignement et formation	**Sciences humaines**	
Primaire, Secondaire, Supérieur	Archéologie, Histoire, Économie	
Exploration géographique	**Société**	
Zones régionales, Europe, Pays, France	Enfants, Gastronomie, Religion	
Informatique et Internet	**Sports et loisirs**	
Internet, Logiciels, Matériel	Sports, Tourisme, Auto/Moto, Jeux	

BIEN UTILISER LES ANNUAIRES

La page d'accueil des annuaires montre toujours la liste des **thèmes** de recherche (ci-contre, par exemple, les thèmes de recherche de Yahoo).

• Si tu ne sais pas trop quoi chercher, utilise ce classement thématique.
• Tu peux naviguer dans ces thèmes en cliquant sur les liens hypertextes.
• Lorsque tu es sur la page du thème souhaité, tu peux lancer une recherche dans ce thème.

FAIRE UNE RECHERCHE AVANCÉE

Les outils de recherche proposent souvent une page de **recherche avancée** qui permet de faire des recherches très précises.

Utilise la recherche avancée quand tu as du mal à trouver ce que tu cherches...

Par exemple, connecte-toi au moteur de recherche *Google* (www.google.com) et clique sur le lien *Recherche avancée*. Tu obtiens une page similaire à celle-ci :

Pages contenant	**tous** les mots suivants		10 résultats ▼
			Recherche Google
	cette **expression exacte**		
	au moins un des mots suivants		
	aucun des mots suivants		
Langue	Résultats pour les pages écrites en	Toutes les langues ▼	
Format de fichier	Seulement ▼	Tous formats ▼	
Date	Lister les pages Web mises à jour pendant la période spécifiée	Date indifférente ▼	
Emplacement	Pages dans lesquelles le ou les termes figurent	N'importe où dans la page ▼	
Domaines	Seulement ▼ Pages du site ou du domaine		

par exemple google.com, .org, .fr, etc. Plus de détails...

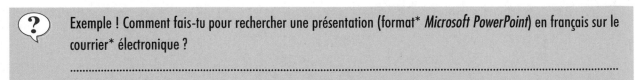

? Exemple ! Comment fais-tu pour rechercher une présentation (format* *Microsoft PowerPoint*) en français sur le courrier* électronique ?

....

DES ASTUCES POUR MIEUX CHERCHER

• Utiliser **plusieurs outils** : ils donnent tous des résultats différents.

• Encadrer les **expressions** avec des guillemets.

Expérience ! Sur Yahoo, fais deux recherches :
- une fois en tapant *requin baleine*
- une fois en tapant *"requin baleine"*
Que constates-tu ? ....
....

• Attention aux mots qui ont **plusieurs sens** : "logiciel" sera beaucoup plus efficace que "programme" pour rechercher des informations sur les logiciels.

• **Accents, majuscules, ponctuations** :
certains outils de recherche en tiennent compte, d'autres non. Regarde l'aide des outils de recherche pour le savoir...

• **Pluriels** et **articles** :
mets les mots que tu recherches au singulier et enlève les articles ("le", "des", ...). Tu taperas donc "chat gouttière" et non "les chats de gouttière".

• Chaque outil est **différent** :
essaye plusieurs moteurs et annuaires. Deviens ensuite un pro du moteur et de l'annuaire que tu préfères en lisant leurs **pages d'aide**. Tu connaîtras leurs **particularités** et les **astuces** pour chercher mieux et plus vite.

• Utiliser les **métamoteurs*** :
un métamoteur est un outil qui va lancer la même recherche sur **plusieurs outils de recherche** à la fois. Il n'affichera que les meilleurs résultats de chaque outil.
Tu trouveras des adresses de métamoteurs dans la carte aux trésors.

Moteurs et annuaires mondiaux :

Ces outils cherchent sur tout le Web. Dans la carte aux trésors, tu trouveras les outils qui ne cherchent que les sites en français.

Type principal : ▢ Moteur ▢ Annuaire

Capable de chercher : 👥 les images, 🎧 la musique, 📹 les vidéos, 💬 les groupes de discussion

▢	👥	🎧	📹	www.altavista.com
▢	👥	💬		www.google.com
▢	▢	💬		www.yahoo.com
▢	▢	👥	🎧	📹 www.aol.com
▢	▢	👥	🎧	📹 www.lycos.com

Les sites Web battent pavillon :

Toutes les adresses de sites Web terminent par deux ou trois caractères (le suffixe) indiquant le pays d'origine ou le type de site. Exemple : www.download.com

.com	sites à caractère commercial
.edu	sites éducatifs
.gouv	sites gouvernementaux
.name	sites personnels
.org	sites d'organisations
.us	suffixe des sites américains

? **Quel est le suffixe de ton pays? : ...**

Tu peux trouver le suffixe de ton pays à cette adresse :
http://www.iana.org/cctld/cctld-whois.htm

Des trésors pas si cachés...

Sais-tu que l'on peut trouver sur le Web* des images, de la musique, des vidéos... ? Cap sur l'île aux trésors !

IMAGES, PHOTOS, DESSINS

Tu trouveras tout ce qu'il faut sur le Web pour illustrer une lettre, une poésie ou ton journal intime...

• Les **sites* Web** sont illustrés par des photos ou des dessins. Tu peux enregistrer une image d'une page Web :

- si tu as un PC, clique avec le bouton droit de la souris sur l'image et choisis *Enregistrer l'image sous ...*

- si tu as un Mac, clique sur l'image en maintenant la touche Ctrl enfoncée et choisis *Télécharger l'image sur le disque.*

• Les **banques d'images** sont des sites qui contiennent des milliers d'images (voir une liste dans la carte aux trésors page 48).

• Utilise aussi les **moteurs* de recherche** qui t'indiqueront où se trouvent des images sur le thème que tu cherches. Nous avons indiqué page 21 des moteurs de recherche capables de trouver des images. Ils sont repérés par l'icône ♔.

?   <u>Rechercher des images avec un moteur de recherche</u>

Voici par exemple la page de Google (www.google.com) : clique sur l'onglet *Images* pour afficher la page de recherche d'images et lance une recherche.

Web	Images	Groupes	Répertoire

	Recherche Google	* <u>Images - Recherche avancée</u> * <u>Aide pour la recherche d'images</u>

Cherche par exemple une photo de ton chanteur préféré.

Indique ici l'adresse du meilleur site trouvé : ....

Au royaume des cliparts   _ □ X

i   Les cliparts sont de petits dessins que l'on utilise pour illustrer des documents. Tu en trouveras des milliers dans cette banque d'images : <u>http://dgl.microsoft.com</u>

IDÉOS

Tu peux aussi voir des **vidéos** ou des **animations** sur le Web. Un seul inconvénient : ce sont de gros fichiers, longs à télécharger* ! Ne t'attends donc pas à voir des films de 3 heures... Tu pourras par contre voir les bandes-annonces de nombreux films avant tout le monde !

Pour trouver des vidéos, utilise un **moteur de recherche** capable de trouver des vidéos (voir page 21) ou des **sites spécialisés** (voir la carte aux trésors page 48).

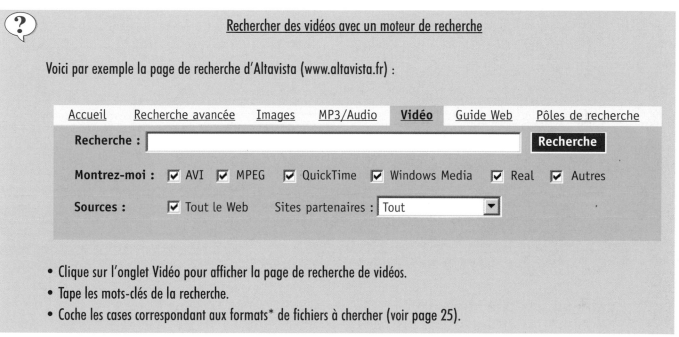

? <u>Rechercher des vidéos avec un moteur de recherche</u>

Voici par exemple la page de recherche d'Altavista (www.altavista.fr) :

| Accueil | Recherche avancée | Images | MP3/Audio | **Vidéo** | Guide Web | Pôles de recherche |

Recherche : [   ]   **Recherche**

Montrez-moi : ☑ AVI   ☑ MPEG   ☑ QuickTime   ☑ Windows Media   ☑ Real   ☑ Autres

Sources :   ☑ Tout le Web   Sites partenaires : [Tout ▼]

- Clique sur l'onglet Vidéo pour afficher la page de recherche de vidéos.
- Tape les mots-clés de la recherche.
- Coche les cases correspondant aux formats* de fichiers à chercher (voir page 25).

De nombreux trésors... mais un peu lourds à transporter !

*Quand tu récupères une image sur Internet, on dit que tu la **télécharges**. Cela veut dire que tu copies le fichier correspondant à l'image sur ton ordinateur. Et c'est pareil pour les vidéos, la musique, les logiciels : à chaque fois, tu télécharges un fichier.*

Or, plus le fichier est volumineux, plus le téléchargement sera long. Avec un modem, il faut environ 2 minutes pour récupérer une grosse image, et 20 minutes pour une chanson.

La télé... sur Internet !   _ ⊡ ✕

? De plus en plus de chaînes télé diffusent certains de leurs programmes sur Internet. Cherche et note ici l'adresse d'une chaîne télé de ton pays qui diffuse des programmes sur le Web : ....

LA MUSIQUE

Tous les styles de musique sont sur le Net : tu trouveras donc forcément des mélodies ou des chansons à ton goût. Mais, comme pour les vidéos, la musique est relativement longue à télécharger*, à moins que tu ne disposes d'un accès rapide à Internet par le câble* ou l'ADSL*.

À quoi ressemble un morceau de musique sur Internet ? Comme pour les vidéos ou les images, les morceaux de musique sont enregistrés dans des fichiers.

Le format* utilisé pour la musique est le célèbre format **MP3*** : ce format est tellement utilisé qu'il existe des baladeurs capables de lire les fichiers MP3.

Où trouver des fichiers MP3 ? Tu peux utiliser un **moteur de recherche** (voir page 21), mais il existe des **sites spécialisés** (voir la carte aux trésors page 50).

 En avant la musique !

Cherche un site contenant des musiques de ton chanteur préféré.
- Que dois-tu taper dans ton moteur de recherche préféré ? ....
- Écris ici l'adresse du site que tu as trouvé : ....

Comment lire une chanson ?

- Clique sur le titre de la chanson choisie (souligné et inscrit en couleur).

- Une fenêtre (appelée fenêtre de téléchargement) s'ouvre automatiquement.

- La chanson est ensuite enregistrée sur ton ordinateur (soit toujours au même endroit, soit dans un endroit que tu dois indiquer).

- Enfin, la chanson est lancée (si cela ne se fait pas automatiquement, cherche le fichier correspondant et clique deux fois dessus pour l'écouter).

- En cas de problèmes, lis la partie suivante sur les formats de documents.

Les Web radios   _ □ ✕

De plus en plus de radios diffusent leurs programmes sur Internet. Tu pourras donc écouter ta radio préférée, mais aussi des radios étrangères ou encore des radios "100 % musique" qui ne diffusent qu'un seul style de musique sans blabla et sans pub.
Tu as trouvé ta radio préférée ? Note ici son adresse : ....

UNE HISTOIRE DE FORMATS

Les documents informatiques ont tous un **format*** : le format détermine comment les informations sont stockées dans le document.

Or, chaque format a ses caractéristiques et ne peut pas être lu par tous les logiciels. Tu auras donc besoin de **logiciels spéciaux** pour lire les images, les vidéos, la musique...

Voici les formats les plus utilisés sur Internet et les logiciels pour les lire :

type de document	formats courants	logiciels courants
images	JPG ou JPEG, GIF	tout navigateur, logiciel de dessin
musique	MP3	QuickTime, RealPlayer Windows Media Player
vidéos	MPEG, AVI	

? **Quels sont ces formats ?**

Recherche sur Internet à quoi correspondent ces formats très utilisés :

- doc : ....
- zip : ....
- bmp : ....
- pdf : ....
- sit : ....

Ouverture des documents : dans la plupart des cas, tu n'auras rien à faire et les documents s'ouvriront tout seuls. Dans le cas contraire :

- si l'ordinateur te demande avec quel programme ouvrir le document, tu peux essayer n'importe quel programme (normalement tous fonctionnent, sinon utilises-en un autre), mais choisis de préférence un des logiciels du tableau ci-dessus car ils sont plus puissants
- si l'ordinateur n'ouvre pas le document et ne te propose rien, c'est qu'aucun programme n'est installé : installe un des logiciels indiqués ci-dessus (voir aussi la boîte à outils page 56).

À qui appartiennent ces trésors	

 Ce n'est pas parce que l'on trouve des tas de trésors sur le Web que tu peux en faire ce que tu veux. Car ces trésors ont des propriétaires : leurs auteurs.
Quand tu veux utiliser un document (image, musique, vidéo, logiciel...) trouvé sur Internet, tu dois avoir l'autorisation de son auteur. Souvent les conditions d'utilisation sont indiquées sur le site où tu as trouvé le document.

Le courrier électronique

Le courrier* électronique a conquis le monde entier. Rapide et gratuit, il n'a qu'un seul inconvénient : tout le monde ne possède pas une adresse* électronique...

LE COURRIER LE PLUS RAPIDE

Un courrier électronique, c'est comme une petite lettre... sauf que ça va beaucoup, beaucoup plus vite !

Qu'est-ce qu'un courrier électronique ? C'est un message qui est **envoyé**, grâce à Internet, **d'un ordinateur à un autre**. Ce message peut contenir du **texte**, mais aussi des **images**, du **son**, de la **vidéo**... Et en plus, c'est **gratuit** !

Tout serait parfait si tout le monde pouvait recevoir des e-mails*. Malheureusement, pour recevoir un message électronique, il faut avoir une **adresse* électronique** ou *adresse mail*.

LES ADRESSES MAIL

Les adresses mail indiquent à qui doit être remis le message :

dupond @ fournisseur.com

Nom de la personne	@	Ordinateur à contacter
On peut trouver ici : - le nom de la personne - son nom et son prénom - un pseudonyme **Exemples** : jean.dupond, j.dupond, jd, toto	Ce caractère, appelé *"arobase*"* (prononcer arobace), se trouve dans toutes les adresses e-mail. Quand tu lis une adresse mail, prononce *AT* ou *CHEZ* : dupond chez fournisseur.com	La dernière partie de l'adresse est le nom de l'ordinateur qui doit recevoir et stocker les messages. Il correspond souvent au nom du fournisseur d'accès de la personne.

Les mystères de l'@robase...

Cherche sur le Net* d'où vient ce mystérieux "@" : ....

Entraîne-toi aussi à l'écrire : @ ....

COMMENT ÇA MARCHE ?

1- Élodie (elodie@surf.net) **envoie** un message à Julie à l'adresse julie@mail.com.

2- Un gros ordinateur appelé serveur* mail, spécialisé dans le traitement des mails, **reçoit** le message. Il le **renvoie** aussitôt vers l'ordinateur "mail.com".

3- Le message est **envoyé d'ordinateur en ordinateur** jusqu'à atteindre l'ordinateur appelé "mail.com" qui le **stocke** jusqu'à ce que Julie se connecte à Internet.

4- Julie se connecte à Internet. L'ordinateur de son fournisseur d'accès "mail.com" lui **envoie** le message. Elle peut se déconnecter et le lire tranquillement sur son ordinateur.

 Y a-t-il une adresse pour moi ?

Si tu n'as pas d'adresse mail ou que tu en veux une deuxième, tu peux en obtenir une gratuitement sur le site www.hotmail.com. Il suffit de t'inscrire...

Écris ton adresse : .... et n'oublie pas ton mot de passe !

CHERCHER DES ADRESSES

Tu ne connais pas l'adresse de ton meilleur copain ? Malheureusement, il n'existe **aucun annuaire** contenant toutes les adresses de tous les internautes... La recherche est donc difficile, mais pas impossible !

• Il existe des **sites*** qui collectent les adresses mail : avec un peu de chance, ton copain sera dedans (voir la carte aux trésors) !

• Tu peux aussi essayer de taper directement son nom dans plusieurs **moteurs*** **ou annuaires*** **de recherche** : s'il a un site Web référencé*, il y a des chances que tu le trouves.

• Une dernière méthode, rapide et efficace : lui téléphoner pour la lui **demander** !

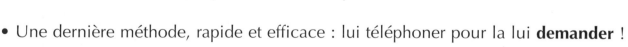

Envoie une carte postale virtuelle ! _ □ ✕

 De nombreux sites Web te permettent d'envoyer des cartes postales virtuelles : choisis ta carte, écris un petit message, et ton destinataire reçoit un mail l'invitant à venir voir sa carte sur le site.

Une bonne adresse : http://greetings.yahoo.com (choisis la langue française, en bas de page).

Envoyer et recevoir des e-mails

Dix milliards de mails* parcourent la planète chaque jour. Bientôt, il y en aura quelques-uns pour toi !

L E LOGICIEL DE MESSAGERIE EN IMAGES

Pour lire ou envoyer des mails, il suffit d'utiliser un **logiciel de messagerie**. Il en existe plusieurs, mais ils se ressemblent tous. Nous avons représenté ci-dessous la fenêtre du logiciel *Outlook Express*.

Si tu as créé une adresse mail sur un site Web* (comme indiqué page précédente), tu n'as pas besoin de logiciel : il suffit de te connecter au site et d'indiquer ton nom* d'utilisateur et ton mot* de passe. Tu trouveras les mêmes fonctions que dans un logiciel de messagerie, comme celui représenté ci-dessous.

Bouton *Nouveau message*
Pour envoyer un nouveau message.

Bouton *Répondre*
Pour répondre au message sélectionné (ici réponse au message de Mélanie).

Bouton *Transférer*
Pour transférer le message sélectionné à un autre destinataire.

Bouton *Envoyer/Recevoir*
Envoie les messages dans la boîte d'envoi et regarde s'il y a de nouveaux messages.

Boîte de réception
Contient les messages reçus.

Boîte d'envoi
Contient les messages qui n'ont pas encore été envoyés.

Brouillons
Contient les messages qui sont en train d'être écrits.

Dossier personnel
Il est possible de créer des dossiers pour classer ses messages avec le menu *Fichier-Nouveau - Dossier*.

Bouton *Adresses*
Affiche le carnet d'adresses. Clique sur ce bouton pour voir ou modifier les adresses de tes correspondants.

Sujet du message

Message affiché

Expéditeur du message

Icônes donnant des indications sur le message :

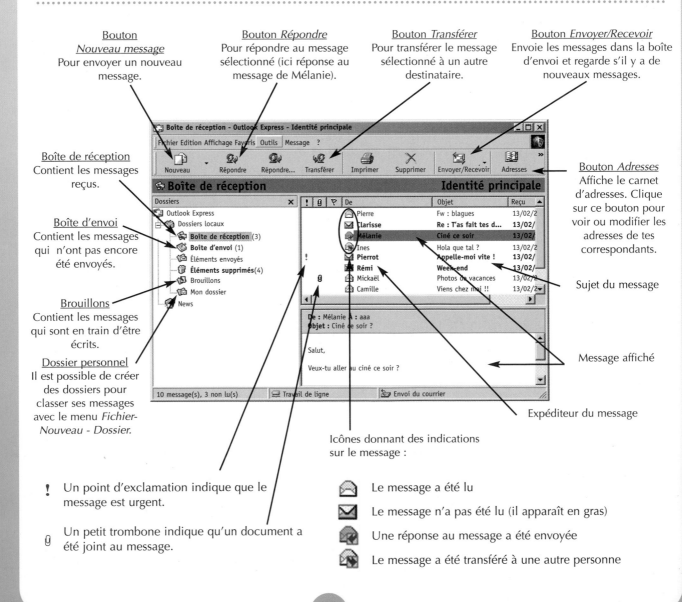

! Un point d'exclamation indique que le message est urgent.

Un petit trombone indique qu'un document a été joint au message.

Le message a été lu

Le message n'a pas été lu (il apparaît en gras)

Une réponse au message a été envoyée

Le message a été transféré à une autre personne

Envoyer un e-mail

Pour envoyer un message électronique, clique sur le bouton *Nouveau message*. Une fenêtre similaire à celle-ci apparaît :

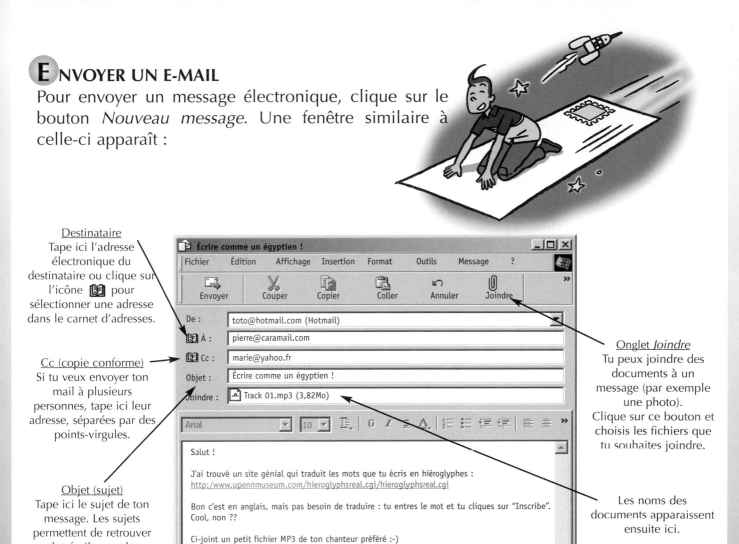

Destinataire
Tape ici l'adresse électronique du destinataire ou clique sur l'icône 📖 pour sélectionner une adresse dans le carnet d'adresses.

Cc (copie conforme)
Si tu veux envoyer ton mail à plusieurs personnes, tape ici leur adresse, séparées par des points-virgules.

Objet (sujet)
Tape ici le sujet de ton message. Les sujets permettent de retrouver plus facilement les messages.

Tape ton message ici.

Onglet *Joindre*
Tu peux joindre des documents à un message (par exemple une photo). Clique sur ce bouton et choisis les fichiers que tu souhaites joindre.

Les noms des documents apparaissent ensuite ici.

On appelle ces documents des **fichiers* joints**.

Tu as terminé ton message ? Clique sur le bouton *Envoyer* et compte lentement jusqu'à trois... Ton message est probablement déjà arrivé !
Pour tester, tu peux t'envoyer des messages **à toi-même**...

Attention aux fichiers joints !

❌ Fais très attention aux fichiers que tu reçois par e-mail, même s'ils viennent de tes amis, car ils peuvent contenir des virus*.
Les fichiers les plus risqués ont un nom terminant par ".exe", ".com", ".js", ".vbs".
Pour tout savoir sur les virus, va voir page 39.

ℹ️ ✗ À savoir ! Les **caractères français ou accentués** ne s'affichent pas toujours correctement chez tes correspondants, surtout s'ils habitent dans un autre pays non francophone.

●*Attention : **pas d'erreur** dans l'adresse e-mail. Une seule lettre changée et ton message n'arrivera jamais.

☺Astuce : tu peux lire et écrire tes messages comme d'habitude sans être connecté à Internet. Connecte-toi seulement pour récupérer les nouveaux messages ou en envoyer.

☺Astuce : utilise le **carnet d'adresses** de ton logiciel de messagerie pour enregistrer tes correspondants.

Communiquer sur Internet

Le courrier* électronique est un moyen bien pratique pour communiquer. En voici plusieurs utilisations avec les lettres* d'information, les listes* de discussion et les forums* de discussion.

Les listes de diffusion permettent à un groupe de personnes de communiquer. Il y a deux types de listes : les **lettres d'information** et les **listes de discussion**.

Ⓛ ES LETTRES D'INFORMATION

La lettre* d'information ressemble un peu à un **journal électronique** : tu t'abonnes (c'est généralement gratuit) et tu reçois régulièrement la lettre par mail. Mais tu ne peux pas discuter : tu reçois juste des informations...

À quoi ça sert ?

• De nombreux sites Web proposent une lettre d'information pour **tenir informés** leurs visiteurs des nouveautés du site.

• Autre utilisation très pratique : recevoir une **sélection d'informations**. Par exemple, un site de jeux peut proposer une lettre d'information sur l'actualité des jeux, mais tu sélectionnes les jeux qui t'intéressent pour ne recevoir que des informations sur ces jeux-là... Un vrai **journal personnalisé** !

 Cherche un site Web d'actualités pour enfants offrant un abonnement à une lettre d'information et abonne-toi (tu pourras te désabonner plus tard).

Écris ici l'adresse du site : ....

Lutter contre les courriers indésirables

❌ Des entreprises peu scrupuleuses n'hésitent pas à récupérer les adresses mail des listes de diffusion et des forums de discussion pour envoyer ensuite des messages publicitaires. Il peut donc être intéressant d'utiliser deux adresses mail : une privée que tu ne donnes qu'à tes amis, et une publique pour tout le reste (comment ? Voir page 27).

LES LISTES DE DISCUSSION

Contrairement à la lettre d'information, la **liste* de discussion** est faite pour **discuter** : tu t'inscris et tu reçois tous les messages envoyés à la liste. Tu peux toi aussi envoyer un message qui sera reçu par tous les abonnés.

<u>Comment ça marche ?</u>

• L'inscription se fait généralement sur un site Web, ou sinon en envoyant un message électronique à la personne gérant la liste.

• Une fois inscrit, tu reçois automatiquement les messages dans ta boîte aux lettres électronique. Quand tu réponds à un message, tu as le choix entre envoyer le message à tout le monde ou juste à la personne qui a écrit.

Répondre à l'auteur ⟶   Répondre   Répondre ...   ⟵ Envoyer à toute la liste

• Tu peux écrire directement à toute la liste en envoyant un message à l'adresse électronique de la liste (qui ressemble à n'importe quelle adresse électronique).

<u>À quoi ça sert ?</u>

Les listes de discussion permettent de **communiquer** avec des personnes qui ont les **mêmes intérêts** que toi (par exemple, ta classe pourrait avoir sa liste de discussion). N'importe qui peut créer une liste de discussion : il peut donc y avoir plusieurs listes de discussion sur le même sujet.

? Consulte un annuaire de listes de diffusion (voir la carte aux trésors) pour trouver une lettre d'information ou une liste de discussion sur un sujet qui t'intéresse.

Écris ici l'adresse de la liste : ....
Indique aussi où se désabonner :
    ❏ sur ce site Web : ....
    ❏ en écrivant à la liste

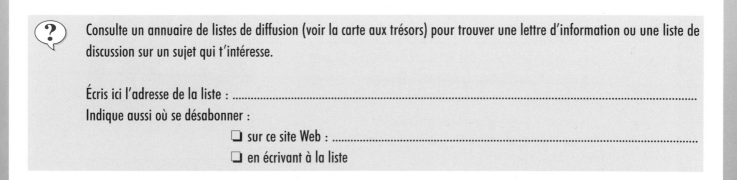

Et si tu créais ta liste de discussion ?

? Une liste de discussion rien que pour tes copains et toi, ça te tente ??
Pas de problème ! Va vite dans la carte aux trésors : tu trouveras dans la catégorie *communication* des sites en français pour créer des listes de discussion.
Note ici l'adresse de ta liste : ....

LES FORUMS DE DISCUSSION

Le **forum*** **de discussion** (ou newsgroup) ressemble beaucoup à la liste de discussion. Mais les forums sont créés après un **vote** des internautes, alors que n'importe qui peut créer une liste.

Tu utilises aussi ton logiciel de courrier électronique pour accéder aux **news*** (les *news* sont les messages des forums de discussion). Attention : ton logiciel doit être configuré !

Participer à une liste ou à un forum de discussion　　　　　　　　　　　　　`_ ☐ ✕`

 Tu dois toujours <u>respecter ces règles simples</u> :
- ne participe pas tout de suite : quand tu es nouveau sur une liste de discussion ou un forum, passe quelques jours à observer. Chaque liste a son histoire, ses membres habitués et ses règles : en écrivant tout de suite, tu pourrais déranger et être mal reçu
- respecte la Netiquette (voir page 34).

RECHERCHER UN FORUM

Les forums sont classés par thèmes : une première méthode consiste donc à **naviguer parmi les thèmes** pour trouver le forum qui t'intéresse (voir ci-dessous).

Les logiciels permettant d'accéder aux forums de discussion permettent aussi de faire une **recherche par mot-clé** : tu tapes un mot et tous les forums de discussion ayant ce mot dans leur nom sont affichés.

 Comment trouver le forum dont j'ai besoin ?

Les forums sont classés par thèmes. Le nom d'un forum est une liste de thèmes séparés par des points.

Petit exemple :

rec.sport.football.misc

"rec" est le nom abrégé du thème "divertissement" (recreative)

"football" fait partie de la catégorie "sport"

"misc" signifie "divers" (miscellaneous)

Du thème le plus général au thème le plus précis

Les forums en français commencent tous par "fr". Tu en trouveras une sélection dans la carte aux trésors (page 48).

Voici les principaux thèmes

- •biz　　forums commerciaux
- •comp　tous les thèmes informatiques
- •misc　thèmes divers
- •news　discussions sur les forums
- •rec　　sujets liés aux loisirs
- •sci　　tout ce qui touche aux sciences
- •soc　　sujets de société
- •alt　　tout le reste (très mal classé et à éviter)

Participer à un forum de discussion

Voici comment participer aux forums avec le logiciel *Outlook Express* :

Bouton *Nouveau message*
Pour envoyer un nouveau message au forum.

Bouton *Répondre au groupe*
Répondre à un message en envoyant la réponse au forum.

Bouton *Répondre à l'auteur*
Répondre à un message en envoyant la réponse à l'auteur.

Serveur de *news*
Pour accéder aux forums, ton logiciel doit être configuré pour accéder à un serveur de *news*.

Clique sur le serveur (ici *News*) pour afficher les forums disponibles et t'abonner.

Forums auxquels tu es abonné

ⓘ Utilise le forum *alt.test* pour t'entraîner à poster des messages.

Entre parenthèses, le nombre de messages restant à lire !

Les messages sont affichés dans l'ordre des discussions.

Ces messages en retrait sont des réponses à celui du dessus.

Cette icône indique que ce message a un fichier joint. **Attention, il y a beaucoup de virus* dans les fichiers joints des forums.**

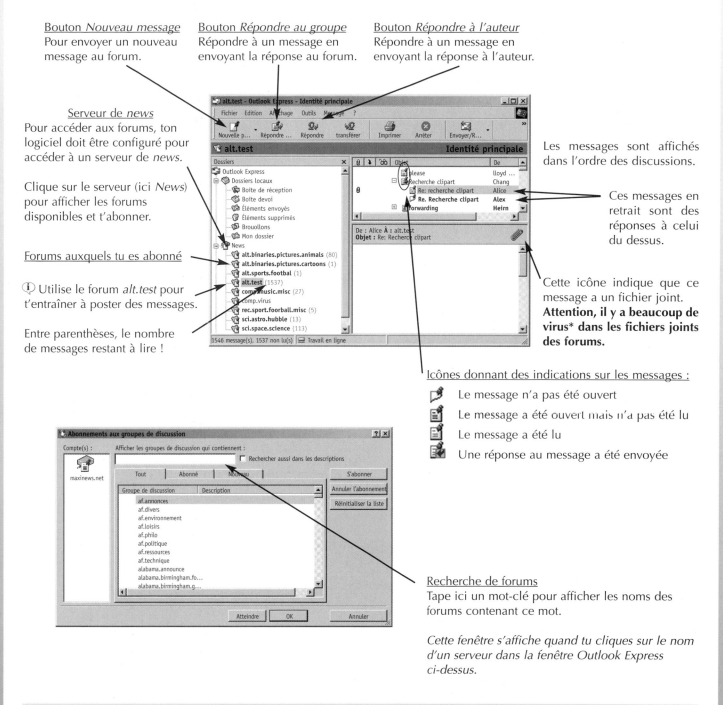

Icônes donnant des indications sur les messages :

📫 Le message n'a pas été ouvert

📄 Le message a été ouvert mais n'a pas été lu

📄 Le message a été lu

📄 Une réponse au message a été envoyée

Recherche de forums
Tape ici un mot-clé pour afficher les noms des forums contenant ce mot.

Cette fenêtre s'affiche quand tu cliques sur le nom d'un serveur dans la fenêtre Outlook Express ci-dessus.

? **Relie chaque forum au thème qui lui correspond !**

comp.internet •
rec.musique.bresil •
sci.astro.hubble •
misc.news.internet •
alt.images.hubble •
soc.culture.bresil •

• culture brésilienne
• photos prises par le satellite Hubble
• nouveautés sur Internet
• musique brésilienne
• informations sur le satellite Hubble
• informations sur Internet

Ces groupes n'existent pas tous : certaines catégories ont été traduites en français !

Chater sur Internet

Le courrier* électronique c'est pratique, mais on peut difficilement l'utiliser pour discuter. Voici donc des méthodes pour dialoguer en direct : avec des petits messages écrits, mais aussi avec le son et l'image !

Les salons de discussion

Où discuter quand on est pressé et qu'on ne peut pas attendre le prochain e-mail* ? Dans un **salon* de discussion** ou *chat** en anglais (prononce "tchate")... De plus en plus de sites Web* en proposent. Tu trouveras l'adresse de ces sites dans la carte aux trésors.

Comment ça marche ? C'est tout simple : tu choisis un **pseudo** et tu entres dans un des salons disponibles. Tu peux maintenant discuter avec les autres participants du salon : ce que tu **tapes au clavier** sera vu par les autres personnes du salon !

 ### Premier dialogue sur Internet

• Va à cette adresse : http://chat.yahoo.com et cherche le site en français.

• Inscris-toi pour avoir un pseudo. Ne donne pas ta véritable identité : tu peux choisir le nom de ton héros, un prénom que tu aimes bien ou un pseudo inventé.

• Choisis ensuite un salon de discussion. Attends de connaître les habitudes du salon avant de parler.

• Tu découvriras vite toutes les possibilités des salons de discussion : discuter en privé, envoyer des messages en couleur, créer ton propre salon et le gérer...

La Netiquette : plus utile que jamais !

⚠ Attention ! Dans certains salons, tu peux te faire exclure si tu ne respectes pas la Netiquette (voir page 36) ou les règles du salon.
Pense aussi que les personnes avec qui tu discutes n'ont pas forcément la même culture que toi : ce que tu dis peut les blesser ou les choquer. N'hésite donc pas à utiliser les smileys (page 36) pour indiquer le ton de ta voix (humour, colère, ennui...).

LE SON ET L'IMAGE

Écouter parler toutes les langues du monde ? C'est aussi possible dans les salons de discussion car certains salons supportent le **son** : tu peux donc parler directement à tes amis comme si tu téléphonais. Pour cela, tu dois être équipé d'un micro et de haut-parleurs (ou d'un casque).

Et la vidéo ? Si tu souhaites voir ton correspondant et que lui te voie, il faut que vous ayez tous les deux une **webcam***, c'est-à-dire une petite caméra spéciale pour Internet (prix : à partir de 35 euros).

? **Mes salons préférés**

N'oublie pas de noter tes salons préférés pour y revenir plus tard :

❶ .... ❷ ....

❸ .... ❹ ....

LA MESSAGERIE INSTANTANÉE

Un **téléphone** sur Internet ? C'est presque vrai avec la **messagerie* instantanée**.

La **messagerie instantanée** fonctionne exactement comme le chat*, sauf que tu n'as **pas besoin de te connecter à un salon** pour discuter : dès que tu es connecté à Internet, tes amis le savent et peuvent commencer une **discussion** avec toi.

La discussion ressemble à celle des salons (petits messages écrits, son ou vidéo).

Pour accéder à la messagerie instantanée, tu dois installer un **petit logiciel** particulier. L'inconvénient est qu'il en existe plusieurs et que tu ne pourras discuter qu'avec des amis qui ont le même logiciel que toi.
Nous te proposons d'installer _Yahoo ! Messenger_, très répandu, très complet et facile à installer : http://messenger.yahoo.com/messenger/intl.html

Une version enfant est disponible, mais en anglais !

La Netiquette, la loi du Net

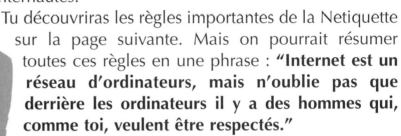

Dans les pages précédentes, nous avons dit plusieurs fois qu'il était important de respecter la loi d'Internet, appelée la Netiquette*. Il est temps de connaître cette loi !

La NETIQUETTE : DES RÈGLES DU JEU

La Netiquette, ce sont quelques règles simples, un peu comme des **règles du jeu**. Si tu respectes ces règles, tes voyages sur Internet se dérouleront sans histoire et tu seras apprécié des autres internautes.

Tu découvriras les règles importantes de la Netiquette sur la page suivante. Mais on pourrait résumer toutes ces règles en une phrase : **"Internet est un réseau d'ordinateurs, mais n'oublie pas que derrière les ordinateurs il y a des hommes qui, comme toi, veulent être respectés."**

Que SE PASSE-T-IL SI JE NE RESPECTE PAS LA NETIQUETTE ?

Il n'y a pas une "police de la Netiquette". Mais tu peux quand même avoir des ennuis si tu ne la respectes pas.

• Au mieux, les autres internautes **t'ignoreront**. Mais ils peuvent aussi réagir plus ou moins gentiment, en t'envoyant une tonne de messages "enflammés" *(flames*)*.

• Ceux qui gèrent des services (forums, salons, sites Web...) peuvent **t'exclure** temporairement ou définitivement.

• Si trop d'internautes se plaignent de ton comportement, ton fournisseur d'accès peut **arrêter** ton abonnement.

• Dans les cas graves où un internaute ne respecte pas les lois de son pays (sites à caractère raciste, par exemple), il risque d'être **poursuivi en justice**.

 Les smileys

Les smileys sont des suites de caractères (tourne la tête à gauche pour les lire) permettant d'indiquer ton humeur.
Exemples :

:-)	je suis content
:-(	je suis triste

 Et ceux-ci :~?

:- ....
;-) ....
:-D ....
:-o ....
:-O ....
:'-) ....
:-# ....
:-* ....

❶ Dans un salon de discussion anglais, je peux parler français.

☐ Je peux parler en français s'il y a d'autres Français

☐ Non, ça ne se fait pas :-(

❷ J'entre dans un salon de discussion que je ne connais pas, je demande tout de suite de quoi l'on parle...

☐ C'est mieux, pour être au courant et ne pas faire de gaffes

☐ Mieux vaut éviter, je ne veux pas déranger !

❸ J'écris une phrase très importante dans un mail, je l'écris en MAJUSCULES !

☐ OUI, POUR QUE ÇA SE VOIT BIEN

☐ Non, ça risque d'être mal interprété !!

❹ Je viens de recevoir ce mail :

"Microsoft et AOL viennent d'avertir qu'un virus très dangereux appelé TêteDeMort circule sur Internet. Prévenez d'urgence tous vos amis."

☐ L'heure est grave, j'envoie immédiatement ce message à tous mes amis !

☐ Je supprime ce mail : qui se permet de m'envoyer des mails comme ça ?

❺ Je viens de lire dans un forum que des sites Web de hackers* permettaient d'espionner les utilisateurs de téléphones portables pendant leurs déplacements.

☐ Je poste vite cette info sur un forum de discussion parlant des portables

☐ Je ne poste rien, même si je suis un passionné des téléphones portables

❻ Dans un forum de discussion, un Japonais fait des blagues pas drôles du tout. Je lui écris pour lui dire que je ne trouve pas ça marrant :-(

☐ Oui, peut-être qu'il enverra de meilleures blagues !

☐ Je ne dis rien, l'humour japonais est si bizarre...

❼ J'ai reçu une vidéo géniale qui pourrait intéresser mon meilleur copain...

☐ Je lui envoie par mail, s'il ne la veut pas, il la supprimera !

☐ Je lui demande avant s'il la veut : ça fera plus de mails mais tant pis...

❽ J'ai une question à poser. Je la pose tout de suite dans un forum de discussion.

☐ Évidemment, ça sert à ça !

☐ Je cherche avant la réponse dans les FAQ*, sur le Web, dans les archives...

❾ Je reçois ce mail :

"Brian, 8 ans, est gravement malade et a besoin de 10 000 euros pour se faire soigner. Envoyez ce mail à toutes vos connaissances. Le fournisseur d'accès de Brian offrira 0,5 euro pour chaque mail envoyé. Merci."

☐ Je poste ce mail à tous mes copains : vive l'Internet solidaire !

☐ Je jette ce mail, c'est bidon

Le Net : pas si net que ça !

Internet est un endroit formidable. Surfer sur Internet peut te donner un sentiment de liberté et de sécurité. Malheureusement, Internet a aussi ses côtés obscurs...

LES LIEUX MALFAMÉS

Sur Internet, il y a des **endroits que tu dois éviter** :

• **certains sites* Web** contiennent des informations qui te choqueront ou te blesseront. Mais tu peux tomber sur ces sites sans le vouloir. Comment les éviter ? Demande à tes parents d'installer un logiciel de filtrage (une sorte de garde du corps :-)) et utilise des outils de recherche pour enfants (voir la carte aux trésors page 49)

• **certains forums* ou salons* de discussion** sont des repaires de gens peu recommandables que tu n'aimerais pas rencontrer dans la rue. Ne va que dans les forums ou salons pour enfants... et reste prudent !

1994 : premier hold-up informatique

 En 1994, un jeune Russe s'introduit illégalement dans le réseau informatique d'une banque de New York et détourne 10 millions d'euros : c'est le premier hold-up informatique. Depuis, les pirates informatiques ou *crackers** ont multiplié les mauvais coups : vols ou destructions de données, chantage, diffusion de fausses informations, création de virus*...

LES MAUVAISES RENCONTRES

Méfie-toi des gens que tu rencontres sur Internet ! Quelqu'un te dit qu'il est un garçon de 10 ans ? Qui te dit que ce n'est pas une fille de 17 ans ? Tu ne peux pas vérifier...

Sur Internet, il est très **facile de se faire passer pour quelqu'un d'autre**. Beaucoup d'internautes font cela pour s'amuser, mais certains peuvent avoir de mauvaises intentions. Par exemple, dans un salon de discussion, un adulte peut très bien se faire passer pour un enfant.

 Un internaute veut te rencontrer ? C'est une mauvaise idée d'accepter : les gens sont différents sur Internet et dans la réalité. En tout cas, n'accepte **jamais** sans **en parler à tes parents** et fixe toujours le rendez-vous dans un **lieu public très fréquenté**.

VIRUS

Autre danger très présent sur Internet : les **virus*** ! Ce sont des programmes capables de se **reproduire** tout seuls et d'**infecter** ainsi de nombreux ordinateurs. Certains virus sont inoffensifs, mais beaucoup font des **dégâts** énormes : ils détruisent des données, endommagent le système, donnent l'accès de l'ordinateur aux pirates...

Les virus ne sont pas spécifiques à Internet : ils peuvent se répandre par tout moyen permettant d'échanger des informations (disquette ou CD, par exemple). Mais les virus se diffusent rapidement et facilement sur Internet car beaucoup d'ordinateurs sont connectés entre eux.

<u>Peux-tu échapper aux virus ? Oui, car généralement il suffit d'être prudent</u>

• Installe un **antivirus** (voir dans la boîte à outils). C'est un programme qui surveille ton ordinateur 24 h sur 24, prêt à détruire le moindre virus passant par là.

• Attention aux **fichiers téléchargés*** : si tu n'es pas certain de leur origine, mieux vaut ne pas prendre de risques, car ils peuvent être infectés par un virus.

• Beaucoup de virus circulent maintenant par e-mail, cachés dans les **fichiers* joints**. Tu dois donc être extrêmement méfiant envers les fichiers reçus par mail, même s'ils sont envoyés par tes amis.
Les fichiers les plus risqués sont ceux ayant une de ces extensions : "exe", "com", "vbs", "js", "eml" (exemple : "readme.eml").*

?   **Attention, virus !**

Voici une sélection de virus très différents. Consulte une encyclopédie de virus (voir la carte aux trésors) pour savoir ce qu'ils font :

• Chernobyl   : ....
• Melissa   : ....
• Happy99   : ....
• Penny Brown   : ....

INFOS ET INTOX

L'information que tu trouves sur Internet n'est **pas sûre** : tu ne dois donc pas croire tout ce que tu lis, même sur les sites Web.

Les *hoax*** (canulars) sont un très bon exemple d'informations fausses : ce sont des **fausses alertes aux virus**, diffusées par e-mail. Comme beaucoup de gens y croient et les rediffusent à tous leurs amis, les *hoax* font vite le tour du monde. La seule source d'informations sûre sur les virus, ce sont les sites des éditeurs de logiciels antivirus (consulte la carte aux trésors).

Internet et ma vie privée

Internet est une mine d'informations. Mais sais-tu que, parmi ces informations, il pourrait y en avoir sur toi ? Apprends à protéger ta vie privée !

OÙ EST LE PROBLEME ?

Remplir un questionnaire, adhérer à un club, jouer à un jeu-concours, participer à un sondage... Quel est le point commun à toutes ces activités ? Dans tous les cas, tu donnes des renseignements personnels : nom, prénom, âge, adresse...

Or l'informatique permet d'exploiter très efficacement ces renseignements pour établir un profil sur toi, t'envoyer de la pub ou vendre ces informations à d'autres entreprises.

Si tu ne fais pas attention, ta vie privée peut vite être connue de tous !

 Quelques règles pour protéger sa vie privée

- Ne donne pas de renseignements sur toi à n'importe qui. Avant de donner des renseignements personnels, **demande l'autorisation à tes parents.**
- Ne donne **jamais d'informations sur ta famille** sans leur autorisation.
- Suis les **règles d'utilisation d'Internet** données par ta famille ou ton école : elles sont là pour te protéger, pas pour t'embêter. Si tes parents te laissent surfer sur Internet, c'est qu'ils te font confiance : ne les déçois pas...

DES ESPIONS PARTOUT

Quand tu surfes sur Internet, tu peux avoir l'impression d'être **libre, anonyme et sans surveillance**. C'est faux, car il existe des **traces** de ce que tu fais. Et ces traces peuvent être exploitées.

De nombreuses traces restent par exemple sur ton ordinateur (historique des sites visités, des messages envoyés...) et chez ton fournisseur d'accès. Mais lorsque tu surfes sur un site, il est facile d'enregistrer des informations sur ta visite (par exemple les pages visitées) pour essayer de trouver tes préférences.

Es-tu prêt à surfer sans risques ?

❶ J'ai rencontré quelqu'un de génial dans un salon* de discussion réservé aux enfants.
Il veut me rencontrer "pour de vrai" (il est à la même école que moi !).

☐ Je lui donne mon adresse et je demande ensuite à mes parents l'autorisation de le voir

☐ J'en parle d'abord à mes parents

❷ Je suis sur un site qui me propose de participer à un grand sondage sur les internautes. Facile ! Il suffit de dire
qui dans ma famille surfe sur Internet, qui utilise Internet pour faire des achats, quels sites je visite fréquemment...

☐ J'en parle à mes parents pour remplir le sondage avec eux

☐ Je connais toutes les réponses : je remplis tout seul, mais je ne réponds qu'aux questions qui me concernent

❸ Je reçois un mail de mon fournisseur* d'accès me demandant mon mot* de passe, suite à un problème technique.
Le message demande d'envoyer le mot de passe rapidement, sinon je ne pourrai plus accéder à Internet.

☐ Je le lui donne : c'est mon fournisseur d'accès, il n'y a aucun risque

☐ Je ne donne pas le mot de passe. Tant pis si l'accès Internet ne marche plus :-(

❹ J'utilise mon adresse* e-mail dans les forums de discussion...

☐ Oui, car il n'y a vraiment aucun risque avec l'e-mail

☐ J'utilise une autre adresse mail, réservée aux forums de discussion

❺ Je tombe sur un site bizarre où je vois un mail qui me met mal à l'aise.

☐ J'en parle à mes parents, c'est plus prudent

☐ Je fais comme si de rien n'était et je n'en parle surtout pas à mes parents !

❻ J'ai un antivirus : je n'ai donc rien à craindre des virus*.

☐ Vrai   ☐ Faux

❼ Les hoax* (virus canulars) ne représentent aucun danger pour l'ordinateur.

☐ Vrai   ☐ Faux

❽ Je ne cours aucun risque dans les salons de discussion si je ne dévoile pas d'informations personnelles
pendant les conversations.

☐ Vrai   ☐ Faux

Drogués du Net   `[_][□][X]`

Pour certains internautes, la vie réelle n'a plus d'importance : seule compte la vie "on line", sur Internet. On appelle ces internautes des "Net'addicts" (drogués du Net) car ils ne peuvent plus se passer d'Internet... Souvent, ces internautes sont accros aux salons de discussion ou aux jeux. Ce n'est malheureusement pas une blague et il existe déjà des centres de soins spécialisés aux États-Unis pour les soigner...

Mille idées pour travailler avec Internet...

Et si Internet permettait de travailler différemment ? Bien sûr, personne n'a encore inventé une école de rêve sur Internet :-(Mais tu vas voir que des bonnes idées, il y en a déjà. Alors pourquoi ne pas en profiter ?

UNE FENÊTRE SUR LE MONDE

Tout ce que tu as appris sur Internet jusqu'à présent peut servir pour ton travail. Pour voir l'extraordinaire richesse que tu as à portée du clavier, lis l'histoire de l'incroyable exposé qu'a fait Émilie à sa classe.

 "Je devais faire un exposé sur le Mexique. J'ai commencé par chercher des informations générales sur le Mexique dans une **encyclopédie** sur Internet. Puis, grâce à un **annuaire***, j'ai trouvé quantité de sites* qui parlaient du Mexique.

J'ai ensuite utilisé un logiciel pour faire une présentation multimédia : couleurs, **musique**, bruitages, images... Il ne manquait rien ! J'avais trouvé de la musique mexicaine, des **photos** et un article de **presse** mexicain sur Internet...

Avec mon papa, j'ai même **commandé** sur un site Web mexicain un véritable sombrero : je ne te dis pas l'ambiance en classe ! Tout le monde le voulait :-)

Puis toute la classe a vu des **webcams*** situées à Mexico et **visité** virtuellement une pyramide en pleine jungle... A suivi la dégustation de tortillas (dont j'avais trouvé la recette sur le Net*) tout en écoutant la radio mexicaine sur Internet.

Mais le clou de l'exposé, cela a été l'**interview** en direct sur un **salon*** **de discussion** d'un enfant mexicain que j'avais rencontré sur Internet quelques jours auparavant. Tout le monde avait des questions à lui poser ! Comme il y avait le son, on a pu l'entendre parler dans sa langue. "

Voyager... devant son ordinateur !　　　　　　　　　　　　　　　　　　　　　`_ □ ✕`

 De plus en plus de monuments et de musées célèbres peuvent être visités sur Internet : soit en regardant des vidéos, soit en se déplaçant dans des animations en trois dimensions.
Cherche un musée ou un monument de ton pays que tu puisses visiter sur Internet :

....

Sur Internet, il est même possible de rencontrer des profs qui pourront t'aider si tu as des difficultés...

• Beaucoup de profs, d'écoles et d'organismes publient sur le Web des cours sur un grand nombre de sujets. La plupart sont gratuits, certains sont même interactifs.

• Tu trouveras aussi des questionnaires pour t'évaluer.

• Mieux, certains sites proposent de t'aider dans tes devoirs. Malheureusement, ils sont souvent payants. Mais il y en a de très bons totalement gratuits. N'oublie pas de passer les voir : ils sont dans la carte aux trésors (page 51).

• Il y a enfin les forums* de discussion où tu peux poser des questions. Certains sont spécialement réservés aux enfants ayant des problèmes dans une matière. En cas de besoin, consulte d'urgence la carte aux trésors !

Un cartable... dans l'ordinateur !	_ □ ✕

 Finis les sacs pleins de livres et de cahiers : le nouveau cartable est un livre électronique. Cours interactifs, animations, photos, musiques, dictionnaires hypertextes : tout y est ! Ces séduisants cartables sont déjà expérimentés par des élèves bien chanceux...

Des idées à noter

Internet est aussi un formidable outil pour toute ta classe ou pour travailler avec tes meilleurs copains. Quelques exemples :
• correspondre avec une classe d'un autre pays
• faire le site Web de ta classe ou créer un journal électronique publié sur Internet pour montrer ce que fait ta classe tout au long de l'année
• utiliser avec tes copains un site permettant de créer un club virtuel. Ces sites permettent d'avoir une lettre d'information ou une liste de discussion, d'échanger des documents, d'avoir un site... À découvrir absolument dans la carte aux trésors !

Voilà quelques idées. Si ton prof n'est pas encore un as d'Internet, apprends-lui !

? **Un peu d'espionnage maintenant !**
Beaucoup d'écoles utilisent Internet et sont présentes sur le Web. Cherches-en une et regarde ce qu'elle fait avec Internet. Note ici les bonnes idées à reprendre :

....

....

... et mille idées pour jouer sur Internet

Tu en as assez de jouer seul contre ton ordinateur ? Rejoins vite le plus grand terrain de jeux de la planète !

LES JEUX DU NET

Il y a tellement de jeux sur Internet que tu en trouveras forcément à ton goût.

- Jeux de combat ou de stratégie : guérilla urbaine, conquêtes...
- Courses de voitures, sports, simulations de vol aérien...
- Jeux de cartes, de dés, de lettres, de plateaux...
- Et des milliers de petits jeux inédits pour passer le temps...

Pour jouer, tu dois d'abord te connecter à une zone de jeux, c'est-à-dire un site Web spécialisé dans les jeux. Beaucoup de bonnes adresses dans la carte aux trésors !

ⓘ **Première partie sur Internet**

- Connecte-toi à un site de jeux.

- La plupart du temps, tu dois devenir membre (c'est gratuit) afin que tu aies une sorte d'identité sur le site : tu dois choisir un pseudo et un mot* de passe.

- Souvent un plug-in* doit être installé sur ton ordinateur pour accéder à la zone de jeux : cela se fait automatiquement après ton accord.

- Choisis ensuite le jeu auquel tu veux jouer. Commence par un petit jeu comme les dames : c'est gratuit, tu n'as rien à installer et tu verras comment ça marche.

- Si c'est un jeu qui se joue à plusieurs, tu dois parfois attendre quelques minutes que d'autres joueurs se connectent pour que la partie puisse commencer.

LES JEUX DE STRATÉGIE EN TEMPS RÉEL

Dans ces jeux, tu es devant une **carte du monde** : c'est le monde que tu dois **conquérir** en **commandant** tes hommes.

Exemples de jeux : Starcraft, Age of Empires, Alerte Rouge...

LES QUAKELIKES

Les quakelikes sont des **jeux de combat** où tu vois l'univers qui t'entoure. Tu disposes d'un grand choix d'armes plus ou moins réalistes et tu dois éliminer tes ennemis.

Généralement, ces jeux se jouent en **équipe** : encore plus palpitant !

Exemples de quakelikes : CounterStrike, Half Life, Quake III...

Jouer à un jeu de stratégie ou à un quakelike

Ces jeux sont **payants** (environ 50 euros) : tu dois donc acheter et installer le jeu avant de te connecter à Internet. Parfois il existe des versions de démonstration gratuites.

- Connecte-toi à un site de jeux.

- Choisis le jeu auquel tu veux jouer.

- Une liste des parties disponibles s'affiche : choisis ta partie, le jeu se lancera tout seul. Choisis une partie dont la difficulté est adaptée à ton niveau.

LES JEUX DE RÔLE ON LINE*

Ces jeux, appelés aussi "**mondes virtuels**", n'existent que sur Internet. Dans ces jeux, tu es un **personnage** imaginaire (que tu retrouves à chaque connexion). Tu "vis" avec des milliers d'autres joueurs : il se forme alors des **alliances** entre joueurs ("guildes") ou des **guerres**. À toi de faire **évoluer** ton personnage !

Quelques mondes virtuels : EverQuest, Ultima Online, Asheron's Call...

Jouer à un jeu de rôle on line

La plupart de ces jeux sont **payants** : tu dois acheter le jeu (environ 50 euros) puis payer un abonnement chaque mois (environ 10 euros).

- Connecte-toi au site de jeux et identifie-toi : tu viens de changer de monde :-)

Des personnages à vendre ! `_ □ ✕`

 Les mondes virtuels donnent lieu à un commerce bien réel : certains joueurs revendent des objets virtuels, et même leur personnage, jusqu'à plusieurs milliers de dollars.
À qui ? À des passionnés ou à des joueurs pas très doués !

Mon site Internet maintenant !

Quand tu auras surfé des heures sur le Web, tu auras peut-être envie de créer ton site* Web personnel... Il faudrait malheureusement un livre entier pour faire de toi un vrai webmaster*, mais ces deux pages suffiront pour t'aider à publier ton premier site sur Internet.

Q UE DIRE ?

Avant de commencer, tu dois **réfléchir** à ce que tu mettras dans ton site. Tu peux parler de ton équipe de sport, de ta passion, de ta collection de timbres, d'un événement qui t'a plu... ou de tout à la fois !

> **i** Marque ici le(s) thème(s) dont tu veux parler :
>
> ....
>
> ....

Une fois que tu sais ce que tu veux dire, tu dois décider comment les informations vont s'organiser : c'est ce que l'on appelle l'**architecture** d'un site. L'architecture habituelle des sites est celle-ci :

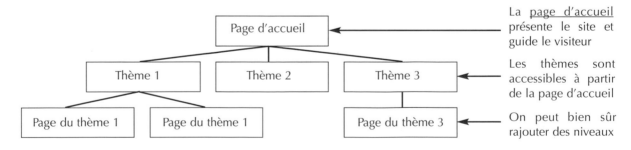

La <u>page d'accueil</u> présente le site et guide le visiteur

Les thèmes sont accessibles à partir de la page d'accueil

On peut bien sûr rajouter des niveaux

> **?** Dessine sur une feuille l'architecture de ton site en indiquant brièvement ce qu'il y aura sur chaque page.

Comment ça marche une page Web ?　　　　　　　　　　　　　　　　　　　　 _ □ X

> **i** Connecte-toi à un site Web (n'importe lequel). Choisis le menu *Affichage-source* de ton navigateur*. Tu vois apparaître un texte entrecoupé de sigles bizarres : ce texte est en réalité la page Web que ton navigateur reçoit. C'est une description de ce qu'il doit afficher. Cette description est faite dans un langage appelé **langage HTML***.

CRÉER LE SITE

Maintenant que tu vois à quoi ressemblera ton site, il ne reste plus qu'à le créer... Facile à dire ! Un peu plus difficile à faire.

Normalement, pour créer un site, on utilise un **logiciel de création de site**. Comme cette technique est un peu difficile, nous te proposons une autre méthode, plus simple, mais qui donne d'excellents résultats : au lieu d'utiliser un logiciel, tu vas utiliser un **atelier sur le Web** permettant de créer des sites. Cours vite voir la carte aux trésors, tu trouveras une adresse de site dans la section "Hébergement et création de sites".

 Inscris l'adresse du site que tu as choisi : ....

Tu dois d'abord t'inscrire pour que le site te réserve un espace où il placera tes pages personnelles. Ton site aura alors une adresse. Suis les indications...

 Note ici ton nom d'utilisateur (mais pas ton mot de passe !) : ....

Note ici l'adresse de ton site : ....

Il ne te reste ensuite plus qu'à utiliser l'assistant sur le site pour élaborer tes pages. Généralement, l'assistant passe par ces étapes :

- choix d'un **type de site** (personnel, club, entreprise...)
- choix d'un **modèle** de page (couleurs, fond d'écran, décorations...)
- sélection de **pages** types (page d'accueil, nouveautés, liens préférés, photos...)
- **modification** des pages (la modification se fait en ligne)

Ton site à l'épreuve des tests   `_ |□| X`

❌ Avant de passer à l'étape suivante, teste ton site (en tapant son adresse dans ton navigateur). Fais-le aussi tester par quelqu'un d'autre.
Fais-le obligatoirement vérifier par tes parents : tu n'as pas le droit de publier un site sans leur autorisation.

E RÉFÉRENCEMENT*

Ton site est prêt... mais il ne sera jamais visité par personne si tu n'indiques pas son adresse aux annuaires* et aux moteurs* de recherche. Cela s'appelle le **référencement**.

Pour référencer ton site, tu trouveras un lien *Ajouter un site* en bas des pages d'accueil des annuaires et moteurs de recherche. Clique sur ce lien et remplis le formulaire qui s'affiche. Ensuite, il n'y a plus qu'à attendre les visiteurs ! Ton site sera vite référencé dans les moteurs (2 ou 3 jours), mais il faut plusieurs semaines pour les annuaires. En attendant, invite tes amis à visiter ton site !

La carte aux trésors

Tu trouveras ici une sélection de sites incontournables. Bonne navigation :-)

Quand il n'y a pas "www" devant une adresse de site, c'est qu'il ne faut pas le mettre !!

■ MOTEURS* DE RECHERCHE (SITES, IMAGES, VIDÉO, AUDIO) [recherches]

♥ **www.google.fr**
Actuellement, Google est reconnu comme le moteur de recherche le plus puissant du Web : il indexe plus de 2 milliards de pages Web ! Google donne aussi de bons résultats dans la recherche d'images.

♥ **www.voila.fr**
Très bon moteur de recherche francophone.

■ **www.altavista.fr**
Ce moteur de recherche très bien conçu te permet de chercher aussi bien des sites que des images, des vidéos et des fichiers musicaux.

■ **www.lycos.fr**
Comme Altavista, Lycos est capable de rechercher sites, images, sons et vidéos. Propose aussi un annuaire de recherche.

■ **www.hotbot.fr**
HotBot fait partie du réseau Lycos mais a un moteur de recherche et un index différents de ceux de Lycos : les résultats avec Lycos et HotBot sont donc différents. Propose de même un annuaire de recherche.*

■ **www.francite.com**
Francité est un moteur de recherche francophone ayant des options de recherche avancée intéressantes. Propose aussi un annuaire de recherche.

■ ANNUAIRES* DE RECHERCHE (SITES, IMAGES, VIDEO, AUDIO) [recherches]

♥ **www.nomade.fr**
Annuaire francophone très performant, qui passe la main à un moteur de recherche quand il ne trouve pas de résultat.

♥ **www.yahoo.fr**
Yahoo est l'annuaire le plus connu au monde. C'est une très bonne source d'informations, relayée par un moteur de recherche quand elle ne trouve aucun résultat. Peut donc servir de moteur de recherche.

♥ **guide.voila.fr**
Le guide Voilà est un bon annuaire francophone associé au moteur Voilà.

■ **www.looksmart.fr**
Autre annuaire francophone performant, aidé par plusieurs moteurs de recherche en cas de besoin.

■ MÉTAMOTEURS* DE RECHERCHE [recherches]

■ **www.kartoo.com**
Tu aimeras Kartoo ! C'est un très beau métamoteur qui présente les résultats sous forme de carte : un peu déroutant au début, mais on s'y fait vite...

■ **www.ariane6.com**
Métamoteur de recherche : interroge 14 moteurs de recherche à la fois !*

■ **www.ixquick.com**
Métamoteur de recherche très puissant qui exploite bien les avantages de chaque moteur.

■ AUTRES SITES EN RAPPORT AVEC LES RECHERCHES [recherches]

♥ **www.abondance.com**
Un excellent site pour apprendre à chercher.

■ **www.abondance.com/outils/francophonie.html**
Liste de moteurs et annuaires utilisés dans différents pays de langue française.

■ OUTILS DE RECHERCHE POUR ENFANTS [recherches]

♥ **www.explorian.be/fra/indexplo/frame.htm**
Un très bel annuaire spécialement réservé aux enfants...

♥ **www.takatrouver.net**
Un annuaire de recherche pour les 7-12 ans.

■ **www.miniclic.com**
Un autre annuaire pour les enfants, mais aussi des petits jeux, des quiz, des blagues...

■ **www.lardons.com**
Guide de sites pour enfants.

■ **www.sitespourenfants.com**
Un annuaire pour les enfants... et les parents !

■ COURRIER* ÉLECTRONIQUE [communication]

♥ **www.arobase.org**
Un superbe site consacré au courrier électronique. Aussi un bon point de départ pour chercher des adresses électroniques (guide et liste d'annuaires).

■ **www.chez.com/talou/smileys.htm**
Un smiley inconnu ? Cherche vite dans ce dictionnaire des smileys !*

■ **www.caramail.com**
Où obtenir une adresse électronique gratuite ? Ici !*

■ **www.hotmail.com**
Un site très connu pour obtenir une adresse électronique gratuite.

♥ **mail.voila.fr**
Un autre site francophone pour obtenir une adresse électronique gratuite.

♥ **www.infobel.com/World**
Annuaires de 187 pays, annuaires inversés. La page d'accueil est en anglais mais tu peux afficher le site en français.

♥ **www.cartespourenfants.com**
Pour envoyer des cartes postales virtuelles à tous tes copains.

■ **www.girafetimbree.com**
Un autre site sympa pour envoyer des cartes postales virtuelles.

■ LISTES* DE DIFFUSION, FORUMS* DE DISCUSSION [communication]

♥ **www.francopholistes.com**
Annuaire de listes de diffusion francophones. Contient une catégorie spéciale enfants.

■ **fr.groups.yahoo.com**
Si toi aussi tu veux créer ta liste de diffusion, tu peux le faire gratuitement sur ce site.

♥ **www.google.fr**
Google a stocké ici plus de 700 millions de messages envoyés sur les forums de discussion depuis vingt ans. Tu peux donc rechercher des messages contenant certains mots-clés : sûr que tu trouveras ton bonheur ! Tu peux aussi parcourir les groupes de discussion pour lire les messages les plus récents.

■ DISCUSSIONS, SALONS* DE DISCUSSION, MESSAGERIE INSTANTANÉE [communication]

■ **chat.voila.fr**
Des salons de discussion francophones sur plusieurs thèmes. Contient des salons réservés aux enfants.

♥ **fr.chat.yahoo.com**
Marre d'écrire ? Utilise un micro ! Les salons de discussion de Yahoo Tchatche supportent le son...

♥ **et aussi...**
Énormément de radios proposent des salons de discussion : cherche sur le site de ta radio préférée !

♥ **www.aol.fr/messager**
AIM est l'une des messageries instantanées les plus répandues sur Internet.

♥ **fr.messenger.yahoo.com**
Autre messagerie instantanée très répandue.

 RAPPEL ! Avec les messageries instantanées, tu ne peux communiquer qu'avec les personnes qui ont le même système de messagerie instantanée que toi.

■ GROUPES ET CLUBS SUR INTERNET [communication]

♥ **clubs.voila.fr**
Pour créer ton club virtuel avec tes amis : agenda, échange de fichiers ou d'images, votes, bases de données...*

■ **fr.groups.yahoo.com**
Autre site pour créer un groupe virtuel : discussions, contacts, informations, partage de photos...

■ CLIPARTS* - PHOTOS - TEXTES [trésors du Web]

● **dgl.microsoft.com**
Pas besoin d'aller ailleurs pour trouver le clipart de tes rêves... Une caverne d'Ali Baba !

■ **www.corbis.com**
Tu cherches une photo sur un événement ? Utilise cette gigantesque banque de photos.

■ **bips.cndp.fr**
Autre banque de photos plus particulièrement destinée aux usages scolaires. Tu trouveras sur ce site des liens intéressants vers d'autres banques d'images.

■ **fr.gograph.com**
Des milliers d'images. Une bonne adresse pour trouver des illustrations pour ton site Web.

■ **www.dafont.com**
Un grand choix de polices à télécharger : célèbres, fantaisistes, horribles, gothiques... pour Noël ou Halloween. Il y en a pour tous les goûts et tous les besoins. Clique sur Télécharger pour récupérer la police qui te plaît. Lis la FAQ* sur le site pour savoir comment l'installer.*

Attention : beaucoup d'images ne peuvent être utilisées sans l'accord de leur auteur ou le paiement de droits.

■ MUSIQUE - RADIO - TÉLÉ (SUR LE WEB) [trésors du Web]

■ **www.mp3.fr**
Une grande collection de MP3 à télécharger ou à écouter.*

■ **fr.peoplesound.com**
Des milliers de MP3 inédits à télécharger. Différents styles de radios à écouter sur Internet.

● **www.comfm.com**
Une gigantesque liste de radios et de télés de tous les pays du monde à écouter et voir en direct sur Internet. De très bonnes radios de différents styles 100 % musique (sans pub !). MP3 à télécharger. À visiter absolument !

■ **www.pubstv.com**
Aimes-tu la publicité ? Oui ? Alors voici les plus belles pubs de toutes les télés du monde...

● **www.msn.fr/live**
Radio, télé, ciné, musique... Une bonne adresse pour trouver les émissions live du Web

■ LOGICIELS À TÉLÉCHARGER* [trésors du Web]

● **www.telecharger.com**
Plus de 10 000 sharewares et freewares* à télécharger... dont des jeux !*

■ **www.anshare.com**
L'annuaire du shareware : une immense bibliothèque de sharewares à télécharger.

■ HÉBERGEMENT ET CRÉATION DE SITES [trésors du Web]

● **www.multimania.lycos.fr**
Multimania héberge ton site gratuitement. Multimania propose un atelier en ligne très bien fait pour t'aider à créer ton site.

■ **www.chez.tiscali.fr**
Un site d'hébergement gratuit très connu. Un assistant peut aussi t'aider à créer tes pages.

■ VIRUS ET HOAX [dangers du Net]

● **aspirine.org**
Un excellent site pour tout savoir sur les virus qui rôdent autour de ton ordinateur... Contient une encyclopédie sur les principaux virus existants.

● **www.hoaxbuster.com**
Célèbre site francophone d'information sur les hoax, ces canulars par mail. À consulter régulièrement pour maintenir son esprit critique !

■ SURFER EN TOUTE SÉCURITÉ [dangers du Net]

● **www.cnil.fr/juniors**
Un très bon site pour découvrir les pièges d'Internet en s'amusant.

● **www.actioninnocence.org**
Un site pour apprendre à éviter les dangers d'Internet... À découvrir et à ne jamais oublier : "Les dix commandements".

■ **www.planetnemo.com**
Passe ton "permis de surfer" sur ce site rigolo !

■ **www.sass.ca/french/kmenu.htm**
Toujours prudent ? Deux lapins t'aident à veiller à ta sécurité, pas seulement sur Internet...

■ INFORMATION - ACTUALITÉS - PRESSE [apprendre]

♥ **www.lesclesjunior.com**
Enfin un journal d'actualités pour toi !

♥ **www.recre-action.net**
Un très beau site expliquant l'actualité...

■ **www.infojunior.com**
Un journal en ligne pour les enfants... écrit par un enfant !

■ **www.milan.be/flash/cles.html**
Un site animé pour découvrir comment on réalise un journal.

■ **www.actufiches.ch**
Des fiches actualités qui pourront t'être très utiles.

■ DICTIONNAIRES ET ENCYCLOPÉDIES [apprendre]

♥ **www.webencyclo.com**
Cherche un mot ou un thème : cette encyclopédie très facile à utiliser te dira tout !

■ **elsap1.unicaen.fr/cherches.html**
Un énorme dictionnaire des synonymes. Ne te laisse pas impressionner par la mise en page très austère : tape le mot que tu cherches et voilà déjà les résultats !

♥ **www.francophonie.hachette-livre.fr**
Dictionnaire francophone de noms communs comprenant plus de 45 000 entrées.

♥ **www.granddictionnaire.com**
Ce dictionnaire porte bien son nom : plus de trois millions de mots y sont expliqués ! Ce dictionnaire explique des termes spécialisés utilisés dans certains domaines précis (par exemple ce qu'est l'envergure pour un avion).

■ **www.quid.fr**
Des milliers d'informations précises sur tous les sujets, c'est ici et c'est gratuit !

■ **www.dicofr.com**
Un très bon dictionnaire de l'informatique.

■ **www.dicorama.com**
Nous ne t'avons pas indiqué le dictionnaire que tu cherchais ? Alors il sera sur ce site qui recense les dictionnaires d'Internet.

■ COURS ET SOUTIEN SCOLAIRE [apprendre]

♥ **www.lescale.net**
Navigue sur ce site excellent : tu apprendras plein de choses. Un des meilleurs dans ce domaine.

♥ **www.ruedesecoles.com**
Apprends et révise tes leçons : c'est gratuit !

■ **www.apreslecole.fr**
Maths, français, sciences, anglais : des cours et des exercices quelle que soit ta classe... mais aussi des jeux, des forums, des infos, des concours...

■ **www.chez-merlin.com**
Un prof magicien, tu crois que ça existe ? Oui, sur ce site !

■ **www.cyberpapy.com**
Des papys sympas qui t'aident à faire tes devoirs, ça existe aussi sur le Web !

■ GÉOGRAPHIE - PAYS [apprendre]

♥ **www.intercarto.com/html/cartotheque.htm**
Tu as besoin de la carte d'un pays ? Tu trouveras cartes et fonds de cartes sur ce site. Une partie du site est payante mais tu peux télécharger des cartes gratuitement.

■ **www.ephemeride.com**
Plein de trucs sympas sur ce site, en particulier un atlas des pays du monde (carte, superficie, population, capitale, monnaie...).

■ **www.popexpo.net/Main.html**
Six milliards d'hommes ou un peu plus ? Un site passionnant sur la population du monde.

♥ **www.photo.fr/laterre**
Découvre de magnifiques photos de la Terre vue du ciel : impressionnant !

■ **www.ethnokids.net**
Comment vit-on dans d'autres pays ? C'est ce que t'apprendra ce site plein de photos et d'images.

■ HISTOIRE [apprendre]

■ **www.almaniaque.com**

Que s'est-il passé le jour de ta naissance ? Tu le sauras sans doute en consultant ce site qui recense les dates marquantes de l'histoire.

♥ **www.unicaen.fr/rome**

Et si tu remontais le temps pour visiter Rome au IVe siècle ? C'est un travail extraordinaire qui est présenté sur ce site : une reconstitution virtuelle de Rome il y a plus de mille ans. Certains documents peuvent être longs à télécharger si tu n'as pas une connexion rapide à Internet.

■ **www.artisto.asso.fr/athenet**

Après Rome, Athènes ! Un site agréable sur l'histoire d'Athènes du Ve au IVe siècle avant Jésus Christ.

■ **www.greceantique.fr.fm**

Un autre beau site sur la Grèce antique.

♥ **www.lescale.net/farwest**

Un très beau jeu interactif qui te permettra de découvrir le Far West.

♥ **www.culture.gouv.fr/culture/archeosm/fr**

Un sujet peu connu qui mérite d'être découvert : l'archéologie sous les mers.

♥ **www.culture.gouv.fr/culture/arcnat/fr**

Visite les grands sites archéologiques et découvre les techniques des archéologues.

■ TERRE - MER - PLANTES - ANIMAUX [apprendre]

♥ **perso.wanadoo.fr/pic-vert**

Un superbe site pour découvrir la nature en s'amusant.

♥ **www.oceanic-fr.com**

Un très beau site sur les mondes sous-marins : à découvrir pour le plaisir des yeux !

■ **perso.wanadoo.fr/armange/timax.html**

Trier et recycler les déchets ? Indispensable aujourd'hui... Ce site t'apprendra tout sur le sujet.

■ **www.univers-nature.com**

Un site consacré à la nature. Tu y trouveras des jeux et des activités mais aussi un annuaire pour trouver d'autres sites sur le même sujet.

■ **www.cgq-qgc.ca/tous/terre/index.html**

Un très beau site sur la terre : de nombreux thèmes sont traités.

♥ **volcanoes.free.fr**

Un superbe site sur les volcans :-)

■ **www.parcsafari.qc.ca/trivia.htm**

Teste tes connaissances sur les animaux (plusieurs niveaux de difficulté).

♥ **www.biospheres.net**

Beaucoup de choses à découvrir sur ce site dédié à la nature, notamment des vidéos et des panoramiques.

■ CIEL ET ESPACE [apprendre]

■ **www.etoile-des-enfants.ch**

Un site d'astronomie spécialement fait pour les enfants. Une question dans ce domaine ? Pose-la sur ce site !

■ **graffiti.u-bordeaux.fr/MAPBX/roussel/astro.html**

Tu cherches des images ou des vidéos de l'espace ? Nul doute que tu trouveras ton bonheur sur ce site. La présentation n'est pas géniale, mais la quantité de documents est impressionnante...

■ **www.cite-espace.com**

Un très beau site sur l'espace.

♥ **www.csg-spatial.tm.fr/jeunesse**

Un site magnifique pour découvrir un centre spatial en jouant. Peut être long à charger si ta connexion Internet n'est pas très rapide.

♥ **www.tfo.org/mega/ks_astro_8_main.html**

Un très beau site sur les étoiles avec des jeux et des vues en 3D des constellations.

■ MATHS - PHYSIQUE [apprendre]

■ **www.math.ucalgary.ca/~laf/colorful/couleur.html**

Les mathématiques en couleurs : découvre des petits logiciels pour jouer avec les mathématiques !

■ **www.amatheur.net**

Une centaine de jeux de logique, de réflexion, de mémoire...

■ **titan.glo.be/tsf**

Tu veux envoyer des messages secrets à tes copains ? Alors découvre les différents moyens qui ont été utilisés dans l'histoire pour crypter des messages. Tu n'as plus qu'à choisir lequel utiliser !

♥ **members.aol.com/lagardesse**

Un site passionnant sur les différents moyens utilisés au cours des âges pour mesurer le temps.

■ SCIENCES EN GÉNÉRAL [apprendre]

▪ **www.cybersciences.com**
Tu apprendras plein de choses sur ce site d'informations scientifiques.
♥ **www.lesdebrouillards.qc.ca**
Beaucoup d'expériences à faire sur ce site. Pour tous les passionnés de science !
♥ **tontongeorges.free.fr**
Pourquoi voit-on son image dans une glace ? Comment les avions peuvent-ils voler ? Voilà un site qui répond à plusieurs centaines de questions sérieuses... ou amusantes !
▪ **www.dispapa.com**
Dis Papa, pourquoi la mer est bleue ? Si ton papa ne sait pas, viens poser la question sur ce site !
▪ **pro.wanadoo.fr/5sens/oeil**
Ce site très bien réalisé explique par des animations les illusions d'optique.

■ FRANCAIS - LANGUES ÉTRANGÈRES [apprendre]

▪ **www.citationsdumonde.com**
Plus de 60 000 citations du monde entier sur ce site !
▪ **www.latl.unige.ch/french/projets/newdico_f.html**
Un dictionnaire qui parle ?! Eh oui, ce dictionnaire fait des traductions anglais-français/français-anglais/allemand-anglais et est capable de prononcer les réponses...
♥ **users.skynet.be/providence/vocabulaire/anglais/menu.htm**
Un site qui te permet de réviser ou d'apprendre des mots d'anglais.
♥ **www.clicksouris.com/solargilan**
Un merveilleux conte où le héros ne survivra que si tu l'aides :-(Alors clique au bon endroit !
Le conte n'est pas terminé : tu peux imaginer la fin et l'envoyer pour qu'elle soit publiée sur le site...
▪ **www.recre-des-poetes.com**
Tout ce qu'il faut pour faire des poèmes en s'amusant.

■ ARTS [divertissements - loisirs]

▪ **www.bemberg-educatif.org**
Un très beau site pour découvrir l'art, créé pour les enfants.
♥ **www.encyclobd.com**
Le portail* indispensable de la bande dessinée.
▪ **www.tintin.be**
Le célèbre Tintin a aussi son site Web !

■ CINÉMA [divertissements - loisirs]

♥ **www.ecrannoir.fr/dossiers/momes.htm**
Un site sur le cinéma... réservé aux enfants !
▪ **www.monsieurcinema.tiscali.fr**
Des tonnes d'informations sur des centaines de films !
▪ **www.6nema.com**
Un autre site consacré au cinéma, avec possibilité de voir des bandes-annonces.

■ GASTRONOMIE [divertissements - loisirs]

♥ **www.marmiton.org**
Plus de 10 000 recettes sur ce site très agréable.
♥ **www.nestle.fr/cote_enfants/incollable/index.asp**
Incollable en cuisine : des recettes pour petits chefs.
▪ **www.chococlic.com**
Un site à croquer : plus de 150 recettes avec du chocolat !
▪ **museum.agropolis.fr/pages/expos/nourrirleshommes**
Un site très intéressant pour tout savoir sur la nourriture et la cuisine dans le monde.

■ JEUX : GRANDS SITES DE JEUX [divertissements - loisirs]

♥ **www.zonejeux.com**
Site de jeux très facile à utiliser : bien pour commencer...
▪ **www.goa.com**
Grand site de jeux francophone.

■ JEUX : PETITS JEUX EN LIGNE [divertissements - loisirs]

♥ **www.alltheflash.com**
Un bon annuaire pour chercher des jeux en Flash* (contient un classement par âge).

♥ **www.flash-games.net**
Plein de jeux de tous types sur ce site.

■ **www.jogg.com**
Beaucoup de petits jeux pour se détendre tout au long de la journée !

■ **www.5000jeux.com**
Il n'y a pas encore 5 000 jeux mais déjà une bonne sélection.

■ **www.globz.net**
Fais le plein de petits jeux sympas sur ce site très agréable à consulter.

♥ **www.puzzletfactory.com**
Si tu aimes les puzzles, tu vas être servi avec plus de 1 000 puzzles de 15 à 400 pièces. Bonne chance !

 La majorité des petits jeux de la section ci-dessus sont en Flash. Il faut donc que tu aies installé le plug-in* Flash (voir pages 12 et 57, et le mini-dico). Selon la rapidité de ta connexion à Internet, les jeux peuvent être longs à télécharger, au moins la première fois que tu y joues.

■ JEUX ET ACTIVITÉS DIVERSES [divertissements - loisirs]

♥ **www.jeux-illico.com**
Waouh ! Voilà un site qui te sauvera quand tu ne sauras pas quoi faire : plein d'idées de jeux et d'activités pour s'occuper chez soi, à l'école, dans la voiture, à la plage... En bref : à tout moment et partout !

♥ **www.uptoten.com**
Plein de jeux et d'activités sur ce site très coloré.

■ **www.momes.net**
Jeux, activités, livres, BD, télés, histoires, forums... des tonnes de découvertes à faire !

■ **www.tresor.online.fr**
Pars sur l'île des pirates et chasse le trésor de Rackam le pirate.

■ **www.jailedroit.net**
Un très joli site pour tout savoir sur les droits des enfants.

♥ **www.kidcity.be**
Une superbe ville virtuelle rien que pour les enfants ! À visiter absolument :-)))

■ **www.jeuxdecartes.net**
Si tu aimes les jeux de cartes, tu apprécieras ce site consacré à ce sujet.

■ **www.kazibao.net/francais**
Point de rencontre pour les jeunes sur Internet.

■ **www.securite-pour-tous.com**
Des jeux sur la sécurité routière.

■ JEUX ET BRICOLAGE [divertissements - loisirs]

■ **auxpetitesmains.free.fr**
Tu aimes bricoler ? Voici le site qu'il te faut !

■ **www.castokids.com**
Un site pour enfants autour du bricolage : beaucoup de petits jeux sympa pour apprendre à bricoler !

■ **pythounet.free.fr**
Découper, colorier, coller... plein de bricolages malins !

♥ **www.tomlitoo.com**
Un très beau site avec beaucoup d'idées d'activités intéressantes.

■ **www.enfantillages.com**
Encore beaucoup d'idées sur ce site avec une recherche facile par thème.

■ JEUX ET FÊTES [divertissements - loisirs]

♥ **www.fiesta-i-fiesta.com**
Encore un site qui te plaira : tout pour faire la fête !!

■ **www.mon-anniversaire.com**
Des idées pour organiser une fête, un anniversaire.

■ **sylvie.foizongaland.free.fr**
Un très beau site rempli d'idées géniales pour la fête d'Halloween.

♥ **www.lafete.net**
Toutes les fêtes expliquées avec beaucoup d'idées d'activités.

■ MUSÉES [divertissements - loisirs]

■ **www.visite3d.com/gillesvilleneuve**
Un musée de voitures en 3 dimensions à visiter sur le Web !

♥ **www.smartweb.fr**
Promène-toi dans ce musée comme si tu y étais ! Tu peux accéder à partir de ce site à d'autres musées à visiter en ligne.

■ **www.mo5.com**
Un musée virtuel très impressionnant sur l'ordinateur et les jeux vidéos.

♥ **www.pbs.org/wgbh/nova/pyramid**
Explore les pyramides dans une véritable visite virtuelle. Le site est en anglais mais il y a suffisamment d'images pour que tu puisses comprendre.

■ **www.taj-mahal.net**
Explore le Taj Mahal : photos, panoramiques et visites virtuelles.

■ SPORTS [divertissements - loisirs]

♥ **www.sport24.com**
Toute l'actualité du sport 24 h sur 24.

■ **www.leguidedujudo-jujitsu.com/kid.htm**
Le guide du judo pour les enfants.

■ **www.f1-legend.com**
Pour les passionnés de sport automobile, voici un site consacré à la formule 1.

■ **membres.lycos.fr/xconnan**
Beaucoup de photos sur le surf.

■ **perso.wanadoo.fr/pebay**
Un beau site sur le snow board.

♥ **www.vendee.fr/vendeeglobe_junior**
Un site très riche sur la prestigieuse course en solitaire sur les mers du globe. Des dossiers sur la mer, la vie à côté de la mer et la navigation.

■ VOYAGES [divertissements - loisirs]

♥ **www.uniterre.com**
Une très belle collection de carnets de voyages. Pour faire le tour du monde, derrière son ordinateur...

■ **www.routard.com**
Le Guide du routard n'entachera pas sa réputation avec ce site très bien conçu et qui fourmille d'informations utiles à tous les voyageurs... et à ceux qui rêvent de voyager !

■ **www.camairlines.com**
Un petit tour du monde ? Plus de 250 webcams* aux quatre coins du monde envoient leurs images sur ce site.

♥ **www.planetobserver.com**
Un voyage au-dessus de chez toi ! Ce site te permet de voir des photos satellites de tous les endroits de la Terre avec des détails remarquables.

 C'est un scandale ! Une adresse de la carte aux trésors ne marche pas !!

Tu es victime d'un gros problème du Web : des pages sont déplacées, des sites déménagent, d'autres disparaissent carrément... Le Web est imprévisible ! Malgré nos efforts, il se peut donc qu'une adresse change et ne soit plus valable.

• Vérifie d'abord que tu n'as pas fait d'erreur dans l'adresse : écris l'adresse exactement comme elle est donnée, en respectant notamment majuscules et minuscules.

• Parfois, le site a changé d'adresse et tu es redirigé (automatiquement ou pas) vers la nouvelle adresse : note la nouvelle adresse, un jour l'ancienne ne sera plus valable.

• Il arrive aussi qu'un site ne soit pas accessible (ou "en travaux") pendant quelques jours... Réessaye dans une semaine !

• Si tu connais le titre du site, tape-le entre guillemets dans un moteur de recherche : si le site existe encore, tu retrouveras facilement sa nouvelle adresse.

• Tu peux aussi essayer de ne mettre que le début de l'adresse : par exemple, tape www.site.com à la place de www.site.com/dossier1/page12.htm.

La boîte à outils

Voici une boîte à outils bien utile !
Tu y trouveras tous les logiciels
nécessaires pour surfer sur Internet.

Légende

 Logiciel fonctionnant sur PC   Logiciel fonctionnant sur Mac

 Freeware*   Shareware*   Logiciel payant

Tu trouveras la plupart des logiciels sur un site de téléchargement de logiciels (voir la carte aux trésors page 48). Fais attention de bien télécharger la version correspondant à ton ordinateur.

■ NAVIGATEURS* ET ASPIRATEURS* DE SITE

■ Netscape

Un des plus anciens navigateurs. Contient un logiciel de courrier électronique et de lecture de forums* de discussion. Très populaire.*

■ Internet Explorer

Le célèbre navigateur de Microsoft. Contient aussi un logiciel de courrier électronique et de lecture de forums de discussion (Outlook Express).*

■ Teleport Pro

Cet "aspirateur de site" te permet de récupérer un site Web complet sur ton ordinateur pour le consulter lorsque tu n'es plus connecté à Internet.*

■ GetWeb

Comme Teleport Pro, cet "aspirateur de site" peut enregistrer sur ton ordinateur un site Web pour que tu puisses le consulter off line.*

■ LOGICIELS DE COMMUNICATION

■ Eudora

Logiciel de courrier électronique très réputé et très complet.*

■ **mIRC**

Logiciel permettant d'accéder au plus grand espace de chat : IRC*.*

■ **ICQ**

Prononcer "I seek you" (je te cherche). Une messagerie instantanée
(voir page 35) très répandue et très populaire.*

■ **Netmeeting**

*Logiciel de communication très complet supportant le son, la vidéo, les échanges de
fichiers... et beaucoup plus !*

■ MULTIMÉDIA (IMAGE - SON - VIDÉO)

■ **QuickTime**

*Lit la plupart des fichiers audio et vidéo, permet de voir des animations en 3D.
Supporte le streaming*. Un logiciel très complet.*

■ **Windows Media Player**

*Lit la plupart des fichiers audio et vidéo, permet de regarder des émissions
de télé et d'écouter la radio.*

■ **RealPlayer**

*Logiciel reconnu et indispensable dans le monde des émissions télé ou radio
en direct sur Internet. Lit aussi la plupart des fichiers audio et vidéo.*

■ **Flash Player**

Plug-in permettant de voir les animations Flash (courantes sur le Web).*

■ **Shockwave Player**

Plug-in permettant de voir les présentations multimédias "Shockwave".*

■ UTILITAIRES

■ **WinZip**

Utilitaire permettant de compresser et décompresser des fichiers dans la plupart des
formats* courants (Zip, tar...).*

■ **StuffIt Expander**

Autre logiciel de décompression, plus utilisé sous Mac.

■ **Acrobat Reader**

Permet de lire les documents au format PDF, très courants sur Internet.*

■ **Norton Antivirus**

Un des logiciels antivirus les plus connus.

Le mini-dico d'Internet

Tu trouveras ici tous les mots de ce livre qui sont suivis d'un astérisque(*) et plein d'autres encore !

■ **Adresse e-mail ou adresse mail ou adresse électronique**
L'adresse mail permet de recevoir du courrier électronique. Elle est distincte du compte* utilisateur : on peut avoir une adresse mail sans être abonné à Internet comme on peut avoir plusieurs adresses mail.
Voir page 26.

■ **Adresse Internet ou URL**
Adresse d'un site* Web (exemple : www.altavista.com).

■ **Adresse IP**
Quatre numéros reçus par chaque ordinateur qui se connecte à Internet pour l'identifier (exemple : 80.111.240.24). Les adresses IP n'étant pas faciles à retenir, on peut les faire correspondre aux adresses* Internet.

■ **ADSL (Asymetric Digital Suscriber Line)**
Technologie permettant des connexions rapides à Internet. L'ADSL est encore cher et peu répandu.

■ **Annuaire de recherche**
Site* Internet spécialisé dans la recherche de sites Web. L'annuaire est rempli par des personnes : les recherches donnent donc peu de résultats mais les résultats correspondent souvent à la demande. Voir page 18.

■ **Arobase**
Mot utilisé pour désigner le caractère @, utilisé dans les adresses électroniques. Voir page 26.

■ **Arpanet (ARPA Net : réseau ARPA)**
C'est le nom du réseau informatique, fondé par l'agence ARPA, à l'origine d'Internet.

■ **Aspirateur de sites**
Logiciel qui permet d'aspirer un site* Web, c'est-à-dire d'enregistrer tout un site Web pour pouvoir le consulter sans être connecté à Internet.

■ **Base de données**
Fichier* informatique utilisé pour stocker facilement un grand nombre de données. Les données sont organisées pour pouvoir faire des recherches. Exemple : base de données stockant les adresses des clients d'une entreprise.

■ **Bit (binary digit)**
Plus petite unité d'information, un bit correspond soit à 0, soit à 1. L'ordinateur ne travaille qu'avec des bits : toutes les informations sont donc codées en bits. Par exemple, le nombre 25 est codé avec cinq bits : 11001.

■ **Bookmark** Voir *favoris*

■ **Bps (bits par seconde)**
Unité mesurant la vitesse d'une transmission. Multiple : Kbps et Mbps (kilobits et mégabits par seconde).

■ **Browser** Voir *navigateur*

■ **Bug**
Se dit d'une erreur dans un programme informatique.
- La petite histoire : aux débuts de l'informatique, les ordinateurs étaient constitués de petits interrupteurs électriques. Or, un jour, des informaticiens cherchaient une erreur dans un programme quand l'un d'eux s'aperçut qu'un insecte bloquait un interrupteur. Il s'écria quelque chose comme "There is a bug !" (Il y a un insecte !) et le terme est resté.
- Jusqu'à aujourd'hui, le bug le plus célèbre est le bug de l'an 2000. Il y a quelques années, les ordinateurs stockaient les dates sur six chiffres (01/01/99 pour 01 janvier 1999) et considéraient que les chiffres des années étaient toujours précédés de 19. Problème au 01/01/2000 : les ordinateurs risquaient de réagir comme s'il s'agissait de l'année 1900 ! Beaucoup d'ordinateurs ont dû être changés avant la date fatidique.

■ **Câble**
Technologie permettant des connexions rapides à Internet en utilisant les équipements de la télévision par câble.

■ **Channel ou chan (canal)**
Nom donné aux salons* de discussion.

■ **Chat** Voir *salon de discussion*

■ **Clipart**
Petite image informatique, utilisée souvent comme illustration.

■ **Cliquer**
Appuyer sur le bouton de la souris (le gauche s'il y a deux boutons à ta souris et que rien n'est précisé).

■ **Compresser**
Réduire la taille d'un fichier (sans perdre de données). L'opération inverse est la décompression.

■ Compte utilisateur

"Clé" permettant d'accéder à un service. Pour accéder à Internet, tu as besoin d'un compte utilisateur composé d'un nom* d'utilisateur et d'un mot* de passe.

■ Cookies

Petits fichiers déposés sur ton ordinateur par les sites* Web que tu visites. Ils servent à enregistrer des informations sur ta visite (nombre de visites, numéro de visiteur...). Contrairement à une idée répandue, les cookies sont incapables de récupérer des informations personnelles (adresse mail, téléphone...) à ton insu. Cependant, si le site te demande des informations personnelles, il peut associer ton nom aux informations recueillies grâce au cookie, ce qui peut permettre d'établir ton "profil". Malgré tout, les renseignements recueillis sont trop vagues pour être vraiment exploitables ; c'est tout de même malhonnête si tu n'es pas prévenu.

■ Courrier électronique ou courriel ou mail ou e-mail ou mél

Application la plus populaire d'Internet. Grâce au courrier électronique, tu peux envoyer un texte, une image ou n'importe quel document informatique à l'autre bout de la planète en quelques minutes. Voir pages 26 à 29.

■ Crackers

Crackers et hackers sont les pirates du monde informatique : ils tentent de forcer les ordinateurs. Les crackers ont de mauvaises intentions (vol, destruction de données...), mais les hackers cherchent à améliorer les systèmes.

■ Crawler Voir *moteur de recherche*

■ Cyber (ex. : cyberespace)

Indique l'appartenance au monde virtuel d'Internet (exemple : cyberélève).

■ Cybercafé

Café où l'on peut surfer sur Internet.

■ Cybercrime

Activités illégales faites en utilisant Internet.

■ Débit

Rapidité d'une transmission informatique.

■ Dl Voir *télécharger*

■ Double-cliquer

Cliquer deux fois sur le bouton de la souris.

■ Download Voir *télécharger*

■ Droit d'auteur

Droit que possède l'auteur de faire ce qu'il veut de son œuvre. Cela veut dire entre autres qu'il est interdit de copier l'œuvre d'un auteur sans son accord.

■ E-mail Voir *courrier électronique*

■ Emoticône Voir *smiley*

■ Extension Voir *format*

■ FAI Voir *fournisseur d'accès à Internet*

■ FAQ (Frequently Ask Questions ou Foire Aux Questions)

Beaucoup de sites* et de forums* mettent à disposition des internautes une FAQ, c'est-à-dire les réponses aux "questions fréquemment posées" regroupées dans un fichier ou une page* Web. Cela évite de répéter toujours la même chose. Consulte les FAQ avant de poser une question : tu y trouveras peut-être la réponse.

■ Favoris

Fonction des navigateurs* permettant d'enregistrer les adresses des pages Web favorites. Voir page 14.

■ Fibre optique

Filament de verre utilisé pour transmettre des données en envoyant un signal lumineux d'un bout à l'autre de la fibre.

■ Fichier

Document informatique.

■ Fichier joint

N'importe quel document joint dans un courrier* électronique (texte, image, vidéo...).

■ Flames (flammes)

Nom donné aux messages agressifs envoyés par mail ou sur les forums de discussion, souvent en rafales.

■ Flash

Beaucoup de sites à destination des enfants contiennent des animations Flash. Il s'agit d'animations multimédias et interactives. Pour pouvoir les voir, il faut que tu aies installé le plug-in* Flash (voir page 57).

Note : si ta connexion à Internet est lente, les animations Flash peuvent être longues à télécharger.

■ Format (MPEG, AVI, JPG, GIF, HTML, HTM...)

Le format indique la façon dont sont enregistrées les données dans un fichier. Le format d'un fichier est souvent indiqué par l'extension du fichier, c'est-à-dire les trois lettres qu'il y a après le point dans le nom du fichier. Exemple : "hello.mp3" ; l'extension mp3 indique qu'il s'agit d'un fichier de musique au format MP3.

■ Forum de discussion ou newsgroup

Moyen de communication par mail avec d'autres internautes sur des sujets précis. Voir page 32.

■ Fournisseur d'accès à Internet ou FAI ou provider

Entreprise permettant d'accéder à Internet, souvent moyennant un abonnement. Voir page 5.

■ Freeware ou graticiel

Logiciel* gratuit. Beaucoup de graticiels peuvent être téléchargés* sur Internet. Voir pages 50 et 56.

■ FTP

Protocole* utilisé pour transférer des fichiers sur Internet.

■ GIF (Graphic Interchange Format, format d'échange graphique)

Format d'image très utilisé sur les pages* Web car ces images de petite taille sont téléchargées* rapidement.

■ Groupes de discussion *Voir Forum de discussion*

■ Hacker *Voir crackers*

■ Hoax

Les hoax (canulars en anglais) sont des courriers électroniques alertant sur la présence d'un virus, qui en fait n'existe pas.

■ Homepage

Page d'accueil d'un site* Web.

■ HTML (HyperText Markup Language)

Utilisé pour les pages* Web, le HTML est un langage décrivant ce que doit afficher le navigateur*. Voir page 46.

■ Hypertexte *Voir lien hypertexte*

■ Index

Le mot index est souvent utilisé quand on parle des moteurs et des annuaires de recherche : l'index correspond à la liste des sites ou des pages* Web utilisés par le moteur ou l'annuaire pour faire ses recherches.

■ IRC (Internet Relay Chat)

Système de salons* de discussion nécessitant un logiciel* spécial pour y accéder.

■ JPG ou JPEG

Format d'image très utilisé. Les détails non visibles sont supprimés, ce qui permet de réduire la taille de l'image.

■ Kbps *Voir bps*

■ Lettre d'information

Message électronique envoyé à une liste d'adresses* e mail. Voir page 30.

■ Lien hypertexte

Texte ou image sur lesquels on peut cliquer* et qui renvoient vers un autre document.

■ Ligne dédiée ou ligne spécialisée

Ligne téléphonique louée par une entreprise à un opérateur téléphonique pour se connecter à Internet ou relier plusieurs bâtiments : la ligne ne sera utilisée que par l'entreprise.

■ Liste de diffusion ou mailing list

Liste d'adresses mail permettant d'envoyer des messages à toutes les personnes inscrites dans la liste. Les lettres d'information et les listes de discussion sont deux utilisations différentes de la liste de diffusion. Voir page 30.

■ Logiciel ou application ou software

Programme informatique.

■ Login ou nom d'utilisateur

Nom d'utilisateur que tu dois donner pour entrer (log) dans (in) un système informatique. Voir page 5.

■ Mail *Voir courrier électronique*

■ Mailing list *Voir liste de diffusion*

■ Messagerie instantanée

Moyen de communication semblable aux salons de discussion, sauf que les correspondants peuvent être joints instantanément, sans avoir besoin de se connecter à un salon.

■ Métamoteur de recherche

Programme qui trouve des sites* Web en interrogeant plusieurs moteurs de recherche.

■ Modem (modulateur-démodulateur)

Le modem permet de connecter un ordinateur à une ligne téléphonique, ce qui fait ainsi communiquer deux ordinateurs éloignés. Le modem transforme les signaux informatiques pour qu'ils puissent être transmis sur la ligne téléphonique. À l'arrivée, le modem transforme les signaux reçus en signaux informatiques. Voir page 5.

■ Mot de passe ou password

Suite de caractères (normalement sans aucun sens) permettant d'accéder à un système informatique. Il faut généralement respecter les majuscules et les minuscules.

Parfois on te demande de choisir un mot de passe. Un bon mot de passe doit avoir au moins huit caractères (avec des lettres et des chiffres), ne pas être dans le dictionnaire, et ne pas être non plus quelque chose de connu (nom de ton chien, date de naissance). Une bonne méthode top secret : invente une phrase et utilise la première lettre de chaque mot. Par exemple : "Mes 2 aliments préférés sont le chocolat et les glaces" => M2apslcelg (pour te souvenir de ce mot de passe introuvable, il suffit que tu retiennes la phrase !).

■ Moteur de recherche

Programme qui parcourt automatiquement le Web* pour rechercher des sites* Web. Une recherche sur un moteur de recherche donne un grand nombre de résultats, mais, ceux-ci sont souvent peu pertinents. Voir page 18.

■ MP3

Format* utilisé pour enregistrer de la musique sur ordinateur. Voir page 24.

■ Navigateur ou browser

Logiciel* utilisé pour surfer sur le Web*. Exemples de navigateurs : Internet Explorer, Netscape, Opera...

■ Net

Mot familier pour désigner Internet.

■ Netiquette (Net etiquette)

Ensemble de règles à respecter sur Internet pour faciliter les relations entre internautes. Voir page 36.

■ News

Messages envoyés sur les forums de discussion.

■ Newsgroup Voir *forum de discussion*

■ Nick ou nickname

Surnom que tu te donnes dans les salons* de discussion.

■ Nom d'utilisateur Voir *login*

■ Numériser ou scanner

Balayer un document papier à l'aide d'un scanner qui le transforme en image.

■ Octet

Unité permettant de mesurer la taille d'un document informatique. Un octet correspond à 8 bits*.

Multiples : kilo-octet (1 Ko = 1 024 octets), méga-octet (1 Mo = 1 024 Ko), giga-octet (1 Go = 1 024 Mo).

■ Off line

Hors ligne ou hors connexion. Tu es off line quand tu n'es pas connecté à Internet.

■ On line

En ligne ou connecté. Tu es on line quand tu es connecté à Internet.

■ Page Web

Fichier informatique codé en HTML* contenant du texte, des images, du son... Voir page 16.

■ Password Voir *mot de passe.*

■ Plug-in

Petit logiciel* qui enrichit les capacités d'un navigateur. Voir page 12.

■ Police (police de caractères)

Ensemble de caractères ayant une forme semblable (exemples de polices : Arial, Times New Roman...)

■ Portail

Site Web consacré à un sujet particulier (shopping, cinéma...) : une porte d'entrée vers d'autres sites sur le même sujet.

■ Protocole

Ensemble de règles de communication entre deux ordinateurs.

■ Référencer

Indiquer aux moteurs* et annuaires* de recherche l'adresse d'un nouveau site* Web. Voir page 47.

■ Réseau

Ensemble d'ordinateurs connectés entre eux.

■ Salon de discussion

Moyen de communication permettant de dialoguer en direct sur Internet. Voir page 34.

■ Serveur

Superordinateur conçu pour rendre des services sur Internet. Par exemple, un serveur Web envoie les pages Web aux internautes qui veulent les consulter et un serveur de mails gère le courrier électronique.

■ Shareware ou partagiciel

Logiciel* distribué gratuitement mais pour lequel l'auteur demande une petite contribution si on l'utilise.

■ Signet Voir *favoris*

■ Site Web

Ensemble de pages* Web. Les pages Web sont organisées en site Web.

■ Slash (barre oblique)

On appelle le slash le caractère barre oblique / et antislash la barre oblique inversée \.

■ Smiley ou émoticône

Suite de caractères permettant d'exprimer une émotion. Voir page 36.

■ Spamming

Envoi massif de mails non désirés. Que ce soit pour déranger ou faire de la pub, c'est très mal vu et interdit.

■ Streaming

Technique permettant d'envoyer le son et la vidéo en direct. Les données sont envoyées au fur et à mesure.

■ Télécharger ou download (en abrégé dl)

Copier sur son ordinateur un fichier situé sur un autre ordinateur. Exemple page 24.

■ Toile Voir *Web*

■ URL Voir *adresse Internet*

■ Virus

Petit programme informatique infectant les ordinateurs, capable de se reproduire pour infecter de nouvelles machines. Il perturbe souvent le bon fonctionnement de l'ordinateur ou détruit des données.

■ Web ou World Wide Web ou Toile

Ensemble des sites* Internet.

■ Webcam

Petite caméra, spécialement conçue pour le Web*. Les images sont de faible qualité pour pouvoir être transmises rapidement sur Internet.

■ Webmaster

Personne gérant un site* Web.

Solutions des jeux

• Page 5

Le modem peut être utilisé comme un **téléphone** : il suffit d'avoir un micro et un casque (ou des haut-parleurs). Comme on peut utiliser ce téléphone sans les mains, on parle de fonction **mains libres**.

Avec un bon logiciel, le modem remplace le meilleur **répondeur** du marché : possibilité de créer plusieurs boîtes vocales, de personnaliser les messages suivant la personne qui appelle... Inconvénient : l'ordinateur doit rester allumé, sauf avec certains modems externes.

Le modem sert aussi à envoyer des **fax**, ce qui est bien pratique, à condition d'avoir un scanner pour numériser* les documents à télécopier. Bien sûr, tu sais que le modem permet d'accéder à **Internet** ; beaucoup de gens ne l'achètent que pour cela. Mais pourquoi se limiter à Internet ? Le modem permet effectivement de communiquer directement avec n'importe quel ordinateur équipé lui aussi d'un modem ; c'est ce que l'on appelle la **télématique**. À quoi ça sert ? À jouer, à utiliser un ordinateur à distance...

S	Z	C	D	G	J	K	M	Z	O	D	I
E	E	K	E	N	O	H	P	E	L	E	T
U	X	R	E	A	V	D	E	U	Z	T	E
Q	R	U	B	C	N	V	E	R	Z	R	J
I	J	E	A	I	N	T	E	R	N	E	T
T	V	U	P	E	L	S	W	X	L	Y	U
A	L	M	I	O	A	-	I	R	V	E	M
M	Y	S	H	Q	N	N	S	H	U	M	B
E	G	L	N	L	X	D	B	N	A	L	E
L	X	F	E	X	B	I	E	V	I	R	S
E	A	D	A	R	Z	C	I	U	O	A	R
T	G	F	I	B	R	I	X	O	R	O	M

• Page 8 - Le bon ordre est 3 - 6 - 1 - 5 - 4 - 2 - 7.

• Page 17 - La plupart du temps les liens hypertextes sont soulignés et apparaissent dans une couleur différente.

• Page 19

- Pour rechercher des informations générales sur les papillons, il vaut mieux utiliser un annuaire qui te proposera tout de suite des sites adaptés.

Parcours les thèmes de l'annuaire, par exemple : Animaux —> Insectes —> Papillons.

- Quand tu tapes *animal chat*, tous les sites sur les salons de discussion (*chats* en anglais) ont disparu.

• Page 20

Recherche d'une présentation en français sur le courrier électronique :

Pages contenant	**tous** les mots suivants		10 résultats
	cette **expression exacte**	courrier électronique	Recherche Google
	au moins un des mots suivants		
	aucun des mots suivants		
Langue	Résultats pour les pages écrites en		Français
Format de fichier	Seulement		Microsoft PowerPoint (.ppt)
Date	Lister les pages Web mises à jour pendant la période spécifiée		Date indifférente
Emplacement	Pages dans lesquelles le ou les termes figurent		N'importe où dans la page
Domaines	Seulement	Pages du site ou du domaine	
		par exemple google.com, .org, .fr, etc.	

• Page 21

Lorsque tu tapes *requin baleine,* tous les sites contenant à la fois requin et baleine sont affichés ; comme ce sont deux animaux, il y a beaucoup de sites correspondants. Mais quand tu tapes *"requin baleine"* (avec des guillemets), seuls les sites contenant les deux mots côte à côte apparaissent. Il y en a beaucoup moins car le requin-baleine est un type de requin : donc aucun site ne parlant pas du requin-baleine n'a de raison d'avoir ces deux mots accolés.

• Page 22 - Tape tout simplement le nom et le prénom du chanteur.

• Page 23

Tu peux utiliser plusieurs méthodes :

- soit tenter directement des noms d'adresses probables (par exemple : il y a de grandes chances que le site de la CNN soit www.cnn.com) et chercher sur le site les séquences vidéo qui peuvent s'y trouver
- soit taper le nom de la chaîne dans un moteur de recherche, puis chercher sur le site des séquences vidéo
- soit chercher dans un annuaire où tu auras probablement des descriptions fiables de séquences vidéo quand la chaîne en propose beaucoup.

• Page 24

Si tu utilises un moteur de recherche proposant la recherche de musiques, la recherche est ici semblable à la recherche de vidéos ou d'images : clique sur l'onglet correspondant à la recherche de fichiers audio et tape le nom du chanteur.

Si tu utilises un moteur de recherche qui ne propose pas la recherche de fichiers musicaux, tu peux taper le nom du chanteur suivi du mot-clé *MP3* (voir le point 2 page 19).

Pour trouver une radio, tape son nom dans un moteur de recherche. Pour trouver les radios qui ne diffusent que sur Internet, va vite voir dans la carte aux trésors (page 50).

• Page 25

En cherchant par exemple : *"fichiers informatiques" formats* dans Google, tu obtiendras vite la réponse :
- le format doc (document) est le format des documents Word (traitement de texte)
- les formats zip et sit sont des formats de fichiers compressés*
- le format bmp (bitmap) est un format de fichier d'image
- le format pdf est le format des documents Acrobat, très utilisés sur le Web : tu peux lire les documents pdf
en téléchargeant gratuitement Acrobat Reader (voir la boîte à outils page 57).

•Page 26

En tapant *arobase* dans un moteur de recherche, tu as dû trouver plusieurs explications sur ce caractère.
À l'origine, ce caractère (@) est né de la fusion des lettres a et d du mot ad en latin (qui veut dire "à" ou "vers"). Il a ensuite désigné une unité de mesure (l'amphore des marchands italiens au XVIe siècle). Plus tard, il a été utilisé par les épiciers anglais pour indiquer le prix des marchandises à l'unité : il était donc déjà sur les claviers des machines à écrire. Ray Tomlinson, qui inventa le courrier électronique, choisit ce caractère pour séparer l'adresse en 2 parties : d'un côté, le nom de l'utilisateur et, de l'autre, le nom de l'ordinateur sur lequel se trouve la boîte de réception. Son choix s'est porté sur l'arobase car ce signe ne fait pas partie des noms communs ou propres (donc pas de risque de confusion).

• Page 30

Utilise un outil de recherche pour enfants : cherche dans les catégories "Actualités", "Médias", ou encore "Journaux". Il faut que tu ailles sur les sites indiqués pour voir s'ils proposent un abonnement à une lettre d'information.
Comment te désabonner ? Tu trouveras la plupart du temps le mode d'emploi dans le premier mail envoyé ou bien à la fin de chaque mail envoyé. Si rien n'est indiqué, cherche l'info sur le site Web où tu t'es abonné !

• Page 31

Pour cette recherche, il est plus efficace de parcourir les catégories d'un annuaire (exemple : Actualités - Journaux - Jeunes). Pour te désabonner, suis la même procédure que celle indiquée ci-dessus (solution de la page 30). Une seule nouveauté : tu peux aussi poser la question en envoyant un message à la liste.

• Page 33

comp.internet	informatique —> Internet	informations sur Internet
rec.musique.bresil	divertissements —> musique —> Brésil	musique brésilienne
sci.astro.hubble	sciences —> astronomie —> Hubble	informations sur le satellite Hubble
misc.news.internet	divers —> nouveautés —> Internet	nouveautés sur Internet
alt.images.hubble	autres —> images —> Hubble	images sur le satellite Hubble
soc.culture.bresil	société —> culture —> Brésil	culture brésilienne

• Page 36

:-|	indifférent	;-)	clin d'œil	:-D	rire	:-o	oh !
:-O	crier	:'-)	pleurer de rire	:-#	silence	:-*	bisou

Attention : certains smileys ont différents sens selon les gens. Exemple, pour certains, :- veut dire "ooops !" (erreur).*

• Page 37

1 - Non. On ne parle jamais une autre langue que la langue du salon de discussion.
2 - Non. Si tout le monde fait ça, ce sera vite invivable. Quand tu entres sur un salon, tu écoutes pendant un moment la conversation. Quand tu connais la conversation et les habitudes du salon, tu peux dialoguer...
3 - Non. On n'écrit pas en majuscules : CELA DONNE L'IMPRESSION QUE TU CRIES. Pour montrer qu'un mot est important, encadre-le avec le caractère souligné ou étoile : _comme ceci_ ou *comme cela*.
4 - Ce mail est un canular (voir page 39). Pourquoi ? D'abord Microsoft et AOL ne s'occupent pas des virus : ils n'ont jamais fait d'alertes aux virus et n'en feront jamais. Ensuite, il y a des milliers de virus sur Internet : tout le monde le sait et doit prendre ses précautions. Enfin, on n'envoie jamais un mail à tous ses amis parce qu'un message le demande, quelle que soit la raison : cela surcharge Internet et bloque les serveurs de mails.
N'envoie des messages d'alerte que si tu es sûr que tes amis ont reçu un virus : soit parce que tu leur as envoyé un fichier contaminé, soit parce qu'eux t'ont envoyé un document contaminé.
5 - Si tu as répondu que tu postais l'info, tu as fait trois erreurs :
- tu as cru une information sans la vérifier : sur Internet, n'importe qui peut dire n'importe quoi. Ici, cette information (qui circule réellement sur Internet) est fausse
- tu as envoyé une information fausse dans un forum. Ce n'est pas très grave : tu n'es ni le premier ni le dernier.
Souviens-toi quand même que la plupart des messages envoyés sur les forums de discussion sont archivés (Google a archivé plus de 700 millions de messages depuis 20 ans)
- tu as (sans doute) envoyé un message sur un forum de discussion qui ne t'est pas familier : il faut toujours attendre un peu, pour connaître les coutumes du groupe, avant de poster.

6 - Ne dis rien : l'humour varie beaucoup selon les pays. Pour cette raison aussi, il faut utiliser les smileys quand on fait de l'humour ou que l'on est moqueur :-))

7 - Une vidéo est un gros fichier : ton copain n'a pas forcément le temps ou l'envie de passer une heure à la télécharger. De plus, sa boîte aux lettres peut être limitée en taille, l'empêchant de recevoir d'autres messages... On demande toujours avant d'envoyer un gros fichier.

8 - Il est conseillé de chercher d'abord la réponse ailleurs, surtout si c'est une question simple...

9 - Encore un canular ! Même si Brian était malade, son fournisseur d'accès serait bien incapable de savoir le nombre de mails que tu envoies. Une règle de la Netiquette : ne jamais renvoyer un mail à des centaines d'amis parce qu'on te le demande. Il s'agit toujours d'un virus : et le virus, c'est toi qui le propage par le mail ! Pas d'antivirus contre ça...

• Page 39

- Chernobyl (Tchernobyl) est un virus très destructeur qui infecte les programmes (fichiers d'extension* .exe). Il détruit les données du disque dur et peut même endommager l'ordinateur.

- Melissa est un virus qui infecte les documents Word. Il est extrêmement répandu mais pas dangereux.

- Happy99 est un virus se répandant par courrier électronique. Si tu reçois un message infecté par Happy99 et que tu l'ouvres, tu verras un joli feu d'artifice. Ce que tu ne verras pas, c'est que le virus enverra des messages infectés à toutes les adresses électroniques qu'il trouvera dans ton carnet d'adresses.

- Penny Brown est un hoax, c'est-à-dire un canular (voir page 39). Il s'agit d'un mail contenant la photo d'une petite fille soi-disant disparue avec un message demandant aux internautes l'ayant vue de se faire connaître. Les autres internautes sont priés de faire passer le message à leurs connaissances. C'est un canular de mauvais goût mais aussi un virus : des millions d'internautes envoient le message, ce qui surcharge les serveurs.

• Page 41

1 - Important d'en parler d'abord à tes parents ! Même sur un salon réservé aux enfants, il peut y avoir des adultes qui se font passer pour des enfants. Et ce n'est pas parce que ton nouvel ami te dit qu'il est à la même école que toi que c'est vrai !

2 - Ne donne jamais d'informations personnelles sur toi ou ta famille sans en parler avant à tes parents. Ici, le grand sondage ressemble plus à une enquête pour t'envoyer de la publicité personnalisée.

3 - On ne donne jamais un mot de passe ! Ici, il ne peut s'agir en plus que d'un mensonge : un fournisseur d'accès ne demande jamais un mot de passe.

4 - Mieux vaut te créer une adresse e-mail spécialement pour les forums. En participant aux forums, des gens peuvent récupérer ton adresse pour t'envoyer continuellement de la pub.

5 - Tu peux tomber sans le faire exprès sur des sites qui ne sont pas pour les enfants ou recevoir des mails qui ne sont pas pour toi. Ce n'est pas de ta faute : parles-en à tes parents, ils t'expliqueront et sauront quoi faire.

6 - Faux : l'antivirus est une protection qui n'est pas parfaite. Tu dois toujours être prudent.

7 - Faux : certains hoax recommandent d'effacer des fichiers indispensables au bon fonctionnement de l'ordinateur pour éliminer le prétendu virus... ce que n'hésitent pas à faire parfois les gens !

8 - Faux : la plupart des sites proposant l'accès à des salons de discussion ou aux messageries instantanées te demandent de donner ton profil (âge, sexe, ville...). Si tu as donné des renseignements justes, tes correspondants peuvent avoir accès à ces informations.

• Page 42

Pour chercher dans un moteur ou un annuaire des musées à visiter, utilise les mots-clés suivants : *musée, visite, virtuelle, 3D* (tape par exemple *musée visite 3D* dans Google). Il faut chercher un peu car certains musées présentent comme "visite virtuelle" de simples photos.

Tu trouveras quelques sites à visiter en 3D dans la carte aux trésors.

• Page 43

Pour chercher des sites Web d'écoles, tu peux utiliser trois méthodes :
    - une recherche dans un annuaire pour enfants (voir une liste d'annuaires dans la carte aux trésors)
    - une recherche dans un annuaire général comme Yahoo en parcourant les catégories : Enseignement et formation - Enseignement primaire...
    - une recherche dans un moteur de recherche comme Google en tapant par exemple *école classe*.